STATUES DE SANG

MARY WILLIS WALKER

STATUES DE SANG

roman

Traduit de l'anglais
par Yolande du Luart

LES ÉDITIONS
Quebecor

Titre original : UNDER THE BEETLE'S CELLAR
(Première publication : Doubleday, New York, 1995)

ISBN : 2.7640.0906.2

Publié avec l'aimable autorisation de Lennart Sane Agency AB

© Mary Willis Walker, 1995

© Calmann-Lévy, 1997, pour la traduction française

© 1997, Les Éditions Quebecor pour l'édition canadienne

Dépôt légal : 4ᵉ trimestre 1997

À la mémoire de ma mère,
qui aurait aimé toute cette histoire de livres.
Ô pour un disque dans la distance.

1

Le Soleil devint aussi noir qu'un sac tissé en poil de bouc, la Lune entière devint rouge sang, et les étoiles dans le ciel tombèrent sur la Terre, comme les figues mûres secouées par un vent violent tombent sur le sol.

Apocalypse, 6 : 12.

Walter Demming n'avait pas pleuré depuis le 2 septembre 1968, mais aujourd'hui il en avait vraiment envie. L'ampoule à l'arrière s'était éteinte pendant leur sommeil, grillée sans doute, leur laissant seulement celle de soixante watts qui pendait au-dessus de la fosse, devant la porte ouverte. L'éclairage provenant de cette source unique était si froid et si insuffisant qu'on ne pouvait pas réellement le qualifier de lumière. Au milieu du car, à l'endroit où se trouvait Walter pour faire son appel matinal, on discernait à peine des formes vagues sur les sièges.

C'était peut-être ainsi que le monde allait finir, non pas dans l'énorme explosion de feux d'artifice que prophétisait sans cesse Samuel Mordecai, mais simplement dans une diminution graduelle de la luminosité, les contours des choses s'estompant jusqu'à leur disparition.

La fin du monde ne serait pas une gigantesque déflagration mais un minable gémissement.

Gémir, c'était précisément ce que Walter avait envie de faire en ce moment. Surtout en pensant à ce qui se passerait quand la dernière ampoule s'éteindrait et qu'ils seraient plongés dans l'obscurité complète. Ils en avaient déjà eu un avant-goût, quarante-six jours auparavant.

Les jezreelites les avaient rassemblés dans la grange sombre, lui, Walter, et onze enfants terrorisés, en pleurs.

Deux des jezreelites avaient posé leurs carabines et déplacé de côté un lourd panneau en bois, découvrant un trou grossièrement creusé dans la terre. L'un des hommes était allé jusqu'à la porte de la grange et avait actionné un commutateur. Une lumière avait illuminé la fosse. Walter regarda sans comprendre. Ce n'était qu'un trou dans le sol. Il ne pouvait imaginer quel rapport tout cela avait avec lui et les enfants qu'il était chargé de conduire à l'école, ce matin-là.

Les hommes en armes les avaient encerclés, tous les douze.

— Descends là-dedans, dit l'un des hommes en pointant vers le trou avec son fusil.

Walter restait figé sur place, interloqué. Les enfants se pressaient autour de lui en pleurnichant.

— Toi, le chauffeur, dit l'homme, descends le premier pour aider les autres.

Walter restait là, sans bouger.

L'un des ravisseurs s'approcha et enfonça le canon de son fusil dans le dos de Walter.

— Fais-le !

Alors Walter obéit. Il s'avança au bord et regarda dans le trou. Il s'agenouilla et se laissa glisser sur le dos en se demandant confusément s'il descendait dans sa tombe. En atterrissant, il regarda autour de lui. Il se trouvait à l'intérieur d'une fosse creusée dans une terre rocailleuse, d'environ un mètre cinquante de diamètre et trois mètres de profondeur. Une ampoule pendait au bout d'un cordon sur l'un des côtés du trou.

La seule issue donnait sur la porte ouverte d'un autocar — enterré. Il y entra. Ce car était plus ancien et décrépit que celui qu'ils venaient de quitter, mais plus grand. La moitié des sièges avait été retirée, laissant un espace libre dans le fond. On y avait creusé un trou. Une deuxième ampoule éclairait faiblement l'arrière du car.

Il y faisait plus froid qu'en surface et surtout plus humide, comme dans un pavillon d'été après des semaines de pluie. Il régnait une odeur lourde de moisi et de renfermé.

Mais le plus étrange — et le pire — c'étaient les fenêtres. Elles étaient totalement noircies par la terre tassée contre les vitres. Privé de ses lunettes cassées sur la route, Walter dut s'approcher pour examiner la terre derrière une fenêtre. Un gros ver blanc se tortillait contre la vitre et un cancrelat noir se frayait un chemin dans une minuscule galerie.

— Aidez les autres à descendre ! cria une voix venant de la grange au-dessus.

Walter retourna à la fosse et déposa, un par un, les enfants au fond du trou. Il ne les connaissait pas encore tous par leurs

10

noms, songea-t-il pendant cette descente aux enfers. Lucy se présenta en premier, sanglotant, le nez rougi. Bucky s'élança dans ses bras, léger comme une plume, les yeux fermés très fort, ses taches de rousseur contrastant avec la pâleur de son teint. Josh, à la respiration sifflante, parut si lourd à Walter qu'il faillit trébucher. Heather se collait à lui comme un petit singe, l'entourant de ses jambes maigres ; une voix impatiente l'appela d'en haut, il dut délicatement détacher la petite. Sue Ellen et Sandra, agrippées l'une à l'autre, geignaient doucement. Conrad remuait les lèvres dans une prière silencieuse. Philip, tremblant de tous ses membres, avait mouillé son pantalon. Le visage de Brandon était rouge de rage. Kim, abasourdie, regardait autour d'elle, les yeux écarquillés. Hector était le dernier. Walter le connaissait bien car il avait tendance à chahuter dans le car. Il se débattait contre les mains qui le poussaient d'en haut. Repoussant Walter de son pied, il atterrit durement au fond de la fosse.

— Aïe ! Merde !

La lèvre d'Hector saignait. L'un d'entre eux au moins avait résisté.

Les enfants, en pénétrant dans la carcasse ensevelie, regardaient autour d'eux dans un silence atterré.

Au-dessus de la fosse, le panneau de bois avait été remis en place. L'espace sembla se rétrécir encore. Ils étaient scellés tous les douze, dans une fosse qui sentait la terre humide, en décomposition. Enterrés vivants. Walter songea qu'il serait difficile d'imaginer quelque chose de pire.

Et soudain, c'était arrivé : la lumière s'était éteinte.

L'obscurité fut si totale que Walter en eut le souffle coupé. Un noir absolu de fin du monde. Le noir de la tombe.

Il n'avait pas pleuré à ce moment-là. Mais à présent, quarante-six jours plus tard, il éprouvait le besoin de rattraper le temps perdu. Il pouvait s'asseoir et se laisser aller. Comme le faisaient les gosses quand ils n'en pouvaient plus. Ils s'asseyaient en sanglotant à fendre l'âme, et après, ils se sentaient réconfortés pendant un moment, les yeux rougis et les joues en feu. Mais si Walter en faisait autant, les enfants croiraient qu'il avait abandonné tout espoir et ils seraient encore plus terrifiés. Ils avaient déjà suffisamment peur comme ça.

Non, Walter ne pleurerait pas aujourd'hui. De toute façon, il

11

fallait compter les enfants. Les larmes pouvaient attendre, mais l'appel devait être fait — chaque matin avant 6 heures. C'était devenu un rituel. Walter croyait que s'il respectait cette discipline, ils resteraient tous en vie.

Il regarda du coin de l'œil la petite forme floue, recroquevillée sur le troisième siège en partant de l'arrière. Sans ses lunettes, dans la pénombre, il ne pouvait voir que la silhouette d'un petit corps blanc contre le vinyle brun et déchiré de la banquette. C'était Bucky, bien sûr — six ans, le plus petit, avec des jambes aussi fines que celles de ce moustique aux longues pattes en équerre, qui glisse à la surface de l'eau. Bucky avait choisi cette place dès le début. Il s'y était installé avec son Power Ranger et la veste qu'il portait ce jour-là. En compagnie de son jouet favori, il se berçait en chantonnant avant de s'endormir, le soir. Ces derniers temps, il dormait aussi le jour — ce jour que Walter ne connaissait que par sa montre, et qu'il communiquait aux enfants.

La fuite de Bucky dans le sommeil était sans doute une réaction saine à une situation de cauchemar. En fait, cette idée était tentante — dormir et rester endormi jusqu'à ce que s'accomplisse le destin — une vie en suspens.

Walter Demming se pencha sur l'enfant, si près que son visage était à quelques centimètres de la petite oreille. Pour compter correctement, il lui fallait détecter un mouvement, un signe de vie qui prouve que Bucky avait survécu encore une nuit. Il observa attentivement la fine paupière. Au bout de quelques secondes, elle palpita légèrement. Il continua à regarder pour en être bien sûr. Quand cela se reproduisit, il se redressa en poussant un profond soupir de soulagement. Bien. Avec Bucky, ça faisait huit.

Walter pensa soudain à quelque chose et se pencha de nouveau sur l'enfant. Le petit garçon avait l'air différent. Qu'est-ce que c'était ? Le chauffeur examina la petite tête finement ciselée. Les cheveux. Oui, la chevelure sombre de Bucky étaient devenue si longue et hirsute, qu'elle recouvrait presque son oreille. Même ses mèches rebelles semblaient lourdes et aplaties. C'était fou ce que ça avait poussé en quarante-six jours. Une bonne coupe de cheveux — encore une chose à laquelle il fallait penser, ou qu'il fallait ajouter à la liste de tout ce qu'il avait oublié. Dieu sait qu'ils n'avaient pas consacré beaucoup d'efforts à l'hygiène personnelle, car il n'y avait pas grand-chose à faire — pas d'eau chaude ni de savon. Il s'approcha encore plus près de la tête de l'enfant pour s'assurer qu'il ne sentait pas mauvais. Il renifla sans rien sentir. Il devait lui-même sentir le fauve après tout ce temps sans prendre une douche. Il semblait avoir perdu son odorat. Au début, la puanteur qui s'élevait du trou, à l'arrière du car, l'avait dégoûté. Maintenant, il était à peine conscient de l'air vicié et renfermé qui ne l'incommodait plus — la preuve que l'on pouvait s'adapter à tout ce que le destin mettait sur notre route. En tout cas, comparés à leurs autres problèmes, les odeurs corporelles et les cheveux en broussaille n'étaient pas des priorités.

Après le rêve que Walter avait fait la veille, la vue des gosses sales et dépenaillés lui semblait réconfortante. Il s'était brusquement réveillé en pleine nuit, paniqué et en nage. Il rêvait qu'il survolait des maisons aux toits de chaume où s'empilaient des petits cadavres, rigides et secs comme des bûches. C'était une variante de son cauchemar habituel, depuis Trang Loi, au Viêt-nam.

Walter Demming se redressa en essayant d'éviter de regarder les fenêtres. Mais le problème avec les autocars, c'est qu'il y a des fenêtres partout. Pas moyen de les éviter, de ne pas voir la terre noire qui s'amoncelait contre les vitres. Une hallucination. La terre semblait exercer davantage de pression jour après jour. À certains moments, il croyait entendre les craquements du verre sous la poussée. Les vers et les blattes, qui creusaient inlassablement leurs tunnels de l'autre côté des fenêtres, semblaient se préparer à les envahir. Ça le faisait penser à cette comptine que les enfants chantaient dans le car, sur le chemin de l'école.

> *Quand passe le corbillard il ne faut jamais rire*
> *Car tu seras peut-être le prochain à mourir.*
> *Dans un drap sale tu vas pourrir.*
> *Sous deux mètres de terre*
> *On t'enterre.*
> *Pendant une semaine, tu vas te reposer*
> *Puis le cercueil commencera à suinter.*
> *Les vers rampent dedans, les vers rampent dehors.*
> *Les petits vers jouent à la belote sur ton corps.*

Il détestait cette chanson. Mais il se sentait encore plus malheureux quand les enfants ne la chantaient pas.

Walter Demming s'approcha d'une autre rangée et jeta un coup d'œil sur le petit corps grassouillet roulé en boule sur la banquette. Josh. Dieu, comme il s'inquiétait pour celui-là ! Pas besoin de se pencher pour déceler un signe de vie. La respiration haletante de Josh, sa poitrine nue qui se soulevait avec effort, suffisaient. Asthme, avaient crié en chœur les gosses dès le premier jour, quand Walter avait cru que Josh, le souffle court et précipité, allait s'étouffer. Ils étaient tous si terrifiés par ce qui leur arrivait que le chauffeur ne s'était pas étonné outre mesure que l'un d'entre eux eût du mal à respirer. Mais Josh avait encore du médicament dans son inhalateur, qui fut vide au bout d'une semaine. Les crises devinrent alors progressivement plus fréquentes et plus intenses. Hier, des spasmes bronchiques avaient saisi l'enfant dans la nuit. Il avait suffoqué pendant deux heures, les lèvres virant au bleu et les yeux exorbités. Les autres pleuraient, épouvantés. Si Walter pouvait voir un de ses souhaits exaucé — rien qu'un seul —, c'était de sortir Josh de là et de l'envoyer à l'hôpital.

Aujourd'hui, il demanderait une fois de plus la libération de Josh. Mais essayer de discuter avec Mordecai équivalait à raisonner avec un tourbillon qui vous aspirait dans une spirale furieuse. Tout était balayé par le flot de paroles qui sortait de la bouche de l'homme. Walter devrait inventer une nouvelle approche, trouver d'autres mots, une autre façon de faire.

C'était idiot, mais il se disait qu'il pourrait penser plus clairement, agir mieux, si seulement il avait encore ses lunettes. Le fait de mal voir semblait ralentir son processus de pensée, le rendait plus passif. Dieu sait pourtant qu'il avait fait le mort avant même qu'il les ait brisées. Tout était arrivé si vite. Tôt ce matin-là, à la sortie de la petite ville de Jezreel, au Texas, il ne s'attendait certainement pas à voir surgir un groupe d'hommes armés de fusils mitrailleurs AK-47, qui encerclèrent son autocar. Avant même qu'il ne se rende compte de ce qui se passait, ils l'avaient traîné hors du car et avaient piétiné ses lunettes.

Après, il avait simplement suivi leurs instructions. Il avait abandonné six des jeunes enfants dont il avait la charge et qu'il devait conduire à l'école avec les autres. Il les avait laissés, seuls, sur la route. Ensuite, il avait conduit le car détourné avec ses onze enfants en pleurs et huit hommes armés jusqu'à

Jezreel, comme on le lui avait ordonné. Il y voyait à peine sans ses lunettes.

Depuis, il n'avait fait guère mieux. Il avait été incapable de redresser la situation. Avec ou sans lunettes, aujourd'hui il lui faudrait trouver une solution.

Il se retourna pour voir le siège de l'autre côté du couloir. Malgré tout, il ne put s'empêcher de sourire à la vue du spectacle qui s'offrait à ses yeux. Kimberly et Lucy étaient enlacées comme deux chatons, les boucles d'un roux pâle de Kimberly s'entremêlant aux cheveux châtains et indisciplinés de Lucy. Elles étaient réveillées toutes les deux et commençaient à bouger. Lucy émit un petit son plaintif qui ressemblait à un miaulement — Walter Demming souhaita pouvoir en faire autant. Il regarda Kimberly entourer son amie de ses bras et la bercer doucement jusqu'à ce que cessent les gémissements. Kimberly et Lucy — les numéros dix et onze. Tout le monde était présent, tous les onze. Tous en vie, au quarante-sixième jour de captivité.

Derrière lui, les bruits familiers du matin se firent entendre — les bâillements et les gémissements, le remue-ménage des gosses qui se levaient et se dirigeaient à l'arrière du car vers le trou que les jezreelites avaient creusé en guise de latrines. Ils avaient découpé la carcasse du car et avaient coulé de la chaux vive au fond de la fosse. Au début, la plupart des enfants refusèrent de s'en servir. Ils se sentaient gênés par le manque d'intimité et ne savaient pas trop comment faire. Mais la nature reprit bientôt le dessus et ils apprirent à s'accroupir. D'un commun accord, ils décidèrent tout naturellement de ne pas regarder quand quelqu'un se servait de la fosse. Certains d'entre eux qui souffraient de problèmes intestinaux s'asseyaient souvent à l'arrière du car. C'était devenu une routine pour tout le monde, à l'exception de Philip qui mouillait son pantalon de temps à autre lorsqu'il avait attendu trop longtemps.

— Monsieur Demming ! Monsieur Demming ! s'écriait comme chaque matin Josh de sa voix rauque. C'est l'heure de se lever ?

— Il est six heures moins le quart, Josh, dit Walter en consultant sa montre. Six heures moins le quart du matin.

Il s'approcha du garçon assis tout droit sur son siège. Il caressa les cheveux blond cendré de Josh. Ils étaient humides et gras sous sa paume.

15

— Nous sommes le 10 avril, reprit Walter. Le soleil va bientôt se lever, dans cinquante minutes environ. Tu peux te lever ou te reposer encore une demi-heure, Josh. Ils vont sans doute nous apporter bientôt quelque chose à manger.

Josh respirait fort, ses deux mains pâles pressées contre sa poitrine.

De l'autre côté de l'allée, Kimberly aidait Lucy à mettre ses socquettes. Derrière elles, Philip Trotman était encore couché sur la banquette, la tête entourée de ses bras. À mesure que le temps passait, il devenait de plus en plus tranquille et triste. Depuis plusieurs jours, Walter ne l'avait pas entendu dire un mot. Une dépression, sans doute. Demming reconnaissait sans peine les signes de dépression chez l'adulte, mais il était moins certain avec les enfants. Il n'avait pas eu assez d'expérience. Il se sentait la dernière personne au monde — véritablement la dernière — à pouvoir assumer la responsabilité de onze enfants. Il n'avait jamais eu d'enfants ; n'en avait jamais voulu. Il n'avait pas eu de frères et sœurs et n'avait jamais fait de baby-sitting. Il *n'aimait* même pas particulièrement les enfants. Il avait cherché un emploi de chauffeur de car scolaire pour augmenter son revenu d'horticulteur.

Walter sentit une pression légère contre sa jambe. Il baissa les yeux et vit Lucy qui s'appuyait contre lui et pressait sa joue contre sa hanche.

— Bonjour Lucie, dit-il en se penchant. Tu as bien dormi, ma chérie ?

— Monsieur Demming, dit-elle en levant la tête vers lui, ça va durer encore combien de temps ?

Sa bouche formait un arc rouge dont les extrémités descendaient.

— J'ai faim. J'ai mal au ventre. J'ai oublié à quoi ressemblent ma mère et Winky…

Walter savait que Winky était son chat.

— … Combien de temps devons-nous encore rester ici ?

De grosses larmes se mirent à couler de ses yeux.

Walter s'agenouilla jusqu'à ce que son visage soit au niveau de celui de l'enfant.

— Je ne sais pas, mon petit chou. Peut-être encore cinq jours, mais je n'en suis pas sûr. Je vais lui demander encore une fois.

16

Son visage était si proche de celui de la petite fille qu'il pouvait sentir la chaleur de ses larmes et la peur qui irradiait de sa peau. La voix de Lucy se mit à trembler et à monter d'un ton.

— Mais il dit que le monde va finir… que la Bête approche, objecta-t-elle en frissonnant. Je crois que c'est déjà la fin du monde. C'est arrivé pendant que nous dormions.

Lucy pointa un doigt vers le plafond.

— Il n'y a plus rien là-haut, maintenant. Ma mère est partie, et notre maison. Tout le monde est parti, comme il l'a dit. Et nous sommes abandonnés ici. Et…

Elle s'arrêta pour reprendre son souffle. Les larmes ruisselaient sur ses joues.

En voyant ces larmes couler du menton de la petite, Walter se demanda d'où venait tout ce liquide. Ces gosses n'étaient jamais à sec. Ils pleuraient ou faisaient pipi tout le temps. Ils perdaient bien plus de fluides qu'ils ne semblaient en récupérer en buvant à la grosse cruche d'eau posée sur le siège du chauffeur.

— Ma petite Lucy, dit Demming à voix basse. Tu te souviens de ce que je t'ai dit, de notre secret ? Il raconte toutes ces histoires et nous devons l'écouter mais nous n'y *croyons* pas. Il se trompe. Il y croit mais ce n'est pas vrai. Souviens-toi de toutes les fois où nous en avons parlé — il ressemble aux diseurs de bonne aventure dans les foires, qui prétendent connaître l'avenir, mais qui n'en savent pas plus que toi ou moi. Je te promets, dit-il en plaçant un doigt sous son menton et en levant vers lui le petit visage mouillé et sale, je te promets, Lucy, que la fin du monde n'est pas arrivée et qu'elle n'est pas pour demain non plus.

Il s'arrêta de parler car la petite s'était mise à trembler. Ces tremblements s'intensifièrent rapidement au point de secouer tout son corps, si violemment qu'il craignit qu'elle ne se disloque. Il la prit dans ses bras et la serra très fort. Il fut horrifié de sentir la maigreur du petit corps. Il la maintint contre lui, essayant de la rassembler, de la tenir en un seul morceau, de se rassembler lui aussi. À certains moments, il lui arrivait de ressentir la même chose qu'elle — il n'y avait plus rien là-haut, à la surface de la terre, plus personne qui s'inquiète de leur sort, plus d'espoir, plus de secours, plus rien.

— J'ai si peur, dit Lucy.

— Écoute-moi, ma petite Lucy, murmura-t-il dans son oreille. Imagine ceci : À quelques mètres au-dessus de nous, c'est le printemps. Un matin de printemps. Aujourd'hui on est lundi, le 10 avril. Les fleurs sauvages ont poussé dans les champs au-dessus de nos têtes — les bleuets, les primevères roses du soir, les fragons indiens et enfin mes fleurs préférées, les coquelicots du Texas. Tout est en fleurs partout ; au bord de la route comme dans les prés. Il a plu un peu hier soir, alors l'herbe est mouillée et les feuilles sont luisantes. Quand le soleil se lèvera, tout va vite sécher et il y aura une belle journée de printemps. Ta maman est à la maison. Elle t'attend et ton chat aussi. Comment s'appelle-t-il déjà ?

Walter fit semblant d'avoir oublié.

— Winky, chuchota Lucy dans son oreille.

— Ouais, Winky.

Il relâcha légèrement son étreinte pour voir si elle s'était calmée. Mais elle se remit à frissonner. Il la serra plus fort et reprit :

— Ma chérie, essaie de t'imaginer Winky. Il est couché…

— *Elle*, interrompit fermement Lucy. Winky est une fille.

— Ah oui, c'est vrai. Elle. Donc, un dimanche matin, elle est couchée sur ton lit et elle se roule sur le dos, les pattes en l'air. Elle se chauffe aux rayons du soleil qui entrent par la fenêtre de ta chambre et à ce moment-là, tu…

Il fut interrompu par une voix qui criait :

— Monsieur Demming, Philip a encore mouillé son pantalon !

Hector Ramirez, douze ans, lui tendit à bout de bras un jean trempé. L'odeur âcre d'ammoniaque chatouilla désagréablement les narines de Walter. Il desserra doucement ses bras de la taille de Lucy qui avait cessé de trembler et qui esquissait même un petit sourire moqueur. Walter allait saisir le jean mouillé quand il remarqua que Lucy se raidit brusquement. Elle s'était retournée et regardait vers l'avant du car. Il tourna la tête pour suivre son regard, sachant déjà ce qu'il allait voir. De l'obscurité de la fosse, au-delà de la porte ouverte, surgit une paire de bottes noires. Un peu de terre tomba en même temps et l'ampoule se balança au bout de la corde.

Les bottes descendaient lentement, suivies par de longues jambes maigres et des hanches minces vêtues d'un jean noir.

18

Avec un bruit mat, les bottes atterrirent au fond de la fosse et l'homme apparut en entier. Malgré sa visite quotidienne, c'était traumatisant à chaque fois, songea Walter. Il ressemblait à un extraterrestre débarquant soudain d'un autre monde. L'homme se tenait près de l'ampoule qui oscillait encore. Il étendit la main pour l'immobiliser. La lumière brilla sur les boucles dorées de sa chevelure bouclée et se refléta sur l'étoile d'or qu'il portait à l'oreille gauche. Même sa barbe naissante avait une couleur dorée, comme s'il avait absorbé le soleil d'en haut et l'avait apporté dans leur monde souterrain.

Walter Demming avait déjà connu la peur. Il était resté éveillé des nuits entières dans la jungle humide en attendant l'attaque d'un ennemi invisible. Il avait combattu au Viêt-nam et vu la mort de près. Mais aucun événement n'avait soulevé son estomac et fait battre son cœur comme à chaque fois que Samuel Mordecai apparaissait à la porte du car enterré. Walter espérait que sa terreur et sa haine ne se voyaient pas. Les gosses devaient déjà assumer leurs propres angoisses sans qu'il en rajoute.

Samuel Mordecai entra dans le car. Il portait un polo blanc qui laissait voir ses longs bras musclés, luisants de sueur. Dans sa main droite, il tenait une bible.

Lucy se remit à trembler. Walter entoura ses épaules de son bras en lui murmurant à l'oreille :

— Souviens-toi de Winky dans ta chambre pleine de soleil… Tu peux le faire.

Samuel Mordecai étendit ses bras comme saint François d'Assise invitant les oiseaux à se percher sur lui. Il sourit en montrant des dents d'une blancheur éblouissante, mais ses yeux demeuraient voilés, intenses, déconnectés de ce que faisait sa bouche. Il entonna d'une voix blanche à l'accent texan prononcé :

— Agneaux de Dieu, tout premiers-nés, un joyeux bonjour à vous tous. Je suis venu vous annoncer ce qui va bientôt arriver. Le temps est proche. Il est presque là.

Il ferma les yeux, comme en extase.

— Vous le sentez, n'est-ce pas, mes agneaux ? Vous êtes la génération ; vous êtes les élus vivants et innocents. Tous les signes concordent. Les prophéties sont accomplies. Réjouissez-vous car vous avez été choisis pour un rôle d'une grande importance dans l'accomplissement de la volonté ultime de Dieu.

Les bras toujours étendus, Mordecai remua les doigts pour déclencher une réaction. Comme aucune ne vint, son éclatant sourire se figea. Son visage prit une expression sévère, ses lèvres se serrèrent en une ligne mince.

— Mes agneaux ! s'écria-t-il. Plus que cinq jours ! Ça ne vous fait pas éclater en louanges ?

Quelques voix faibles s'élevèrent du fond du car, celles de Brandon et de Sue Ellen qui murmuraient : « Loué soit le Seigneur ! » et « Alléluia ! ».

Walter Demming, qui n'avait pas mis les pieds à l'église depuis l'âge de quatorze ans et qui, même à cette époque-là, n'aimait pas prier à haute voix, s'efforça de remuer les lèvres. Aucun son n'en sortait.

Samuel Mordecai hocha la tête.

— Plus que cinq jours, mes petits agneaux de Dieu ! Souriez. Ouvrez vos bouches et louez le nom de Celui, oh, de Celui qui accomplira des miracles surpassant tout ce que vous pouvez imaginer — et des catastrophes aussi. « Le Soleil deviendra noir comme un sac tissé en poil de bouc, la Lune entière deviendra rouge sang et les étoiles du ciel tomberont sur la Terre… Les puissances qui sont aux cieux seront ébranlées. » Notre mission est de préparer la voie. Vous et moi. Nous sommes les agents humains chargés de ce qui est mûr. Maintenant, rassemblez-vous pour la leçon.

Mordecai descendit lentement l'allée centrale.

— Ouvrez vos oreilles et vos cœurs à la parole du Dieu tout-puissant, à Celui qui a recueilli l'être abandonné, sans défense, enveloppé dans le manteau de la Bête, et qui en fit un prophète. C'est le miracle qu'Il a accompli sur moi afin que je sois ici parmi vous, pour vous dire à vous tous, et au reste du monde, ce qui se passe sur cette planète rebelle.

Les enfants regagnèrent chacun leur place, comme des zombies. Walter savait qu'il serait inutile d'essayer de parler à Mordecai maintenant qu'il était lancé. Il s'assit aussi, résigné à attendre la fin du prêche.

— Vous vous souvenez, continua Samuel Mordecai, que nous avons parlé des signes qui annoncent que la fin est proche. Ils sont tous là. On les voit chaque jour dans l'univers de la prétendue technologie. Cartes de crédit et codes barres, téléachat, implants, transpondeurs, transferts électroniques, cyberespace et ces supposés jeux informatiques. Tout a été prédit dans l'Apocalypse : « Il a également ordonné à chacun, petit ou grand, riche ou pauvre, libre ou esclave, de recevoir une marque sur la main droite ou sur le front, de sorte que personne ne pouvait acheter ou vendre s'il ne portait pas la marque qui est le nom de la Bête ou le nombre de son nom. » Je vous ai dit hier, mes agneaux, que je vous annoncerais une nouvelle qui vous remplirait de stupeur. Je sais que les connaissances en arithmétique de la plupart d'entre vous sont suffisantes pour que vous sachiez additionner correctement. Alors, suivez-moi. Il existe dans la plupart des langues un code par lequel les lettres de l'alphabet correspondent à un nombre. Souvent, c'est 6. Par exemple, A égale 6, B égale 12, C égale 18, etc. Donc, supposons que nous appliquions ce code à notre alphabet. Nous prenons le mot *ordinateur* et nous assignons à chaque lettre de ce mot le nombre qui lui correspond. OK? Vous me suivez, mes agneaux? Savez-vous ce que ça donne? Savez-vous quel nombre nous obtenons, parmi tous les nombres de l'univers?

Samuel Mordecai regarda autour de lui, les yeux hagards et le souffle rapide.

— Savez-vous à quoi correspond « ordinateur »?

Il fit une pause comme s'il attendait une réponse.

Walter regarda derrière lui. Les enfants secouaient la tête en s'agitant sur leur siège.

— Vous auriez besoin d'un papier et d'un crayon pour faire l'addition, reprit Mordecai, ses yeux bleus s'élargissant. Alors, je vais vous donner le résultat. C'est le nombre 666. 6, 6, 6. Oui! Le nombre de la Bête dans le Livre de l'Apocalypse. N'est-ce pas un signe extraordinaire, mes agneaux? Songez que lorsque ces prophéties ont été annoncées il y a deux mille ans, le prophète Jean, le disciple bien-aimé de Jésus, qui a écrit le Livre de l'Apocalypse, a prédit l'invention de l'ordinateur. Jean a dit : « Si un homme a de l'intuition, qu'il calcule le nombre de la Bête, car c'est le nombre de l'homme. Ce nombre est 666. » N'êtes-vous pas frappés d'admiration? Les lettres du mot « ordinateur » forment les chiffres — il éleva six doigts en l'air — 6, 6, 6!

Walter Demming sentit sa mâchoire se crisper. Tandis que la voix nasillarde continuait son discours, il se retourna pour vérifier l'état des enfants. Ils étaient tous assis immobiles et regardaient Samuel Mordecai arpenter l'allée centrale. Il tenait son livre dans la main gauche tout en traçant dans l'air des signes cabalistiques de l'index de sa main droite, d'un mouvement si saccadé et si agressif que Walter devait maîtriser l'envie irrésistible de lui casser le doigt.

Pendant la première semaine, il avait essayé de se concentrer sur ces leçons pour mieux comprendre ce que Samuel Mordecai avait derrière la tête, mais il s'aperçut bientôt que ses tirades étaient si dingues et si répétitives qu'il n'avait pas besoin de les écouter. Il faisait semblant, bien sûr. Il ne voulait pas mettre le type en colère. Walter le regardait, suivait ses gestes des yeux, mais il laissait son imagination flotter à travers le champ de fleurs sauvages qui s'étendait de sa maison jusqu'au chemin en gravier qui conduisait à celle de Theodora Shea. Là, sur le porche, son Golden Retriever âgé de seize ans dormait, tandis que le jardin attendait ses soins, et la terre ses mains. Aujourd'hui, il planterait des géraniums, des géraniums rouge vif — en quantité.

Les sanglots de Lucy le ramenèrent au moment présent. Il la regarda sur le siège de l'autre côté de l'allée. Elle essayait de se contrôler sans pouvoir réprimer un sanglot étouffé de temps en temps.

— ... Mais les lâches et les incroyants, criait Mordecai, les impurs, les assassins, les immoraux sexuels, ceux qui pratiquent la magie, les idolâtres et les menteurs — tous ceux-là seront transformés en statues de sang le dernier jour ! Nous devons en passer par le sang. Rien à faire. On ne peut l'éviter, ni le contourner. Il faut en passer par là. Malheur à vous si vous rejetez l'opportunité qui vous est offerte ! Alors, vous serez jetés dans le lieu où les vers ne meurent jamais !

Walter se retourna pour voir comment réagissaient les autres enfants. Bucky était assis tout droit, les mains croisées sur les genoux. Il avait fermé les yeux si fort que son visage était tordu dans une grimace. La tête de Philip était penchée en avant. Brandon Betts marmonnait quelque chose à mi-voix en hochant la tête.

Cinq jours encore, se disait Walter, cinq jours encore dans ce merdier et nous serons tous en train de prier que la fin du monde arrive. Ô Seigneur, aide-nous s'il te plaît — ces derniers temps, il se surprenait à prier, lui, un homme qui n'avait même pas prié du fond d'une tranchée. Quoi qu'il arrive, pria-t-il, les yeux fermés pour retenir ses larmes, fais que ça arrive vite et que ça se passe bien. Des crampes tordirent tout d'un coup l'estomac de Walter... « Mais, Seigneur, Toi qui aimes les petits enfants et les pécheurs ignares comme moi, donne-nous d'abord le petit déjeuner. On en a bien besoin ici bas ! »

4

Et j'ai vu un ange descendre du Ciel, tenant la clé de
l'Abîme d'une main et de l'autre une grande chaîne. Il
saisit le Dragon, ce serpent ancien qui est le Diable, ou
Satan, et il l'enchaîna pendant mille ans.

Apocalypse, 20 : 1 — 2.

L E CLAQUEMENT SEC de la Bible qui se refermait sortit brusquement Walter Demming de sa rêverie. Il plantait des géraniums dans les énormes pots en terre cuite sur la terrasse orientée au sud de Theodora Shea. Le soleil tapait dur sur son dos nu tandis qu'il plongeait ses doigts dans la terre fraîche et humide. Transpirant à grosses gouttes dans l'air fétide du car enterré, il revint à contrecœur à la réalité du moment présent. Autour de lui, onze enfants affamés, apeurés, écoutaient les délires d'un fou.

— … Vous l'avez entendu ! cria Samuel Mordecai. Nous sommes entraînés dans une collision inéluctable avec le destin !

Dans l'espace confiné, sa voix résonnait fort contre les parois du bus. Sa peau brillait d'une sueur ruisselante qui avait traversé sa chemise et qui fonçait les boucles blondes encadrant son visage.

— Il est clair que cette accélération de la technologie informatique, ce prétendu progrès — cette violentation, comme je l'appelle —, est en réalité une machine incontrôlée qui nous entraîne dans une spirale infernale de plus en plus rapide — c'est le *signe de la fin* que nous attendions.

« Je sais, continua-t-il, que vous avez tous grandi en jouant à ces jeux vidéo, mes agneaux. Il y a des ordinateurs dans toutes vos écoles et beaucoup d'entre vous en ont sur leur bureau à la maison. Ils ont l'air innocents, n'est-ce pas ? Ils ressemblent à des espèces de grille-pain. Mais tout cela fait partie du grand projet qui prépare la voie de l'Antéchrist. Vous n'avez qu'à observer les visages dans les antres sataniques, où le tapage et les lumières clignotantes de ces jeux électroniques transforment les jeunes comme vous en robots pour la Bête. Vous vous souvenez tous de la prophétie du Livre de l'Apocalypse que je peux vous citer par cœur : « Et il avait le pouvoir de donner la vie à l'image de la Bête, afin que celle-ci parle et fasse que tous ceux qui ne vénèrent pas son image soient tués. » Il n'est pas étonnant que vous autres jeunes subissiez l'influence de ce faux prophète. À moins que quelqu'un ne vous avertisse du danger — comme je le fais en ce moment —, comment sauriez-vous, mes petits agneaux, que ces innocents micro-ordinateurs sont le moyen par lequel l'Antéchrist contrôlera la vie des hommes ? Sachez, mes agneaux, que tout a été prophétisé dans la Bible.

Il secoua la tête, envoyant alentour une pluie de gouttes de sueur.

— Souvenez-vous de ceci : la période d'essai de la terre s'achève dans cinq jours. Si vous ne le croyez pas ou n'en tenez pas compte, ça sera à vos risques et périls. À présent, vous ne pourrez plus dire : « Ah, si seulement je l'avais su... » Ceux qui ont entendu et qui ne s'en soucient pas auront l'âme marquée du code-barres bleu fluo, afin que l'ange Gabriel et sa troupe vengeresse puissent les retrouver et les changer en statues de sang qui pourriront de toute éternité. Amen !

Walter Demming regarda sa montre. Seulement deux heures et dix minutes. Ils pouvaient s'estimer heureux, aujourd'hui.

Les lèvres de Samuel Mordecai se retroussèrent en un sourire bénévole tandis qu'il bénit son auditoire de sa main gauche, tenant sa bible dans sa main droite, un geste si hypocritement moralisateur que Walter dut contrôler l'impulsion de bondir de son siège et d'effacer d'une gifle l'expression benoîte du visage de Mordecai. Il ne mettait pas en doute la sincérité de son message, aussi dingue et incohérent qu'il soit, mais il ne supportait pas la manière mélodramatique avec laquelle il l'exprimait.

Walter se leva, revêtit son attitude la plus humble et supplia un fois de plus :

— Monsieur Mordecai, puis-je vous parler quelques secondes ?

— Je vous en prie...

Walter baissa la voix en espérant que les enfants ne l'entendraient pas.

56

— C'est au sujet de Josh. Il est de plus en plus malade. Il a eu une nouvelle crise d'asthme cette nuit. Il en est presque mort. Il a besoin d'aller à l'hôpital. C'est une question de vie ou de mort.

Walter essaya d'intercepter le regard de Mordecai, mais celui-ci fit un pas vers la porte.

— S'il vous plaît! (Walter le saisit par le bras.) Au moins donnez-lui son médicament... Tenez!

Il montra l'inhalateur vide de Josh.

— Voici ce dont il a besoin. Vous voyez? De la Ventoline. Il ne reste plus que deux doses. Je vous en prie!

Il essaya de lui donner l'inhalateur, mais Mordecai avait croisé ses deux mains derrière son dos.

— Il devrait aussi avoir un autre inhalateur, insista Demming. À la cortisone.

Walter s'approcha et chuchota dans l'oreille de Mordecai.

— J'ai peur qu'il ne meure ici. Quand ses crises surviennent, nous n'avons aucun moyen de l'aider. Je vous en prie, laissez-le rentrer chez lui!

Samuel Mordecai répondit avec un sourire onctueux :

— Inhalateurs? Question de vie ou mort? Monsieur le conducteur, ne vous rendez-vous pas compte du ridicule de vos demandes? Nous voici au bord de l'abîme, à la fin des temps... Les étoiles tourbillonnent et les océans virent au sang. Des forces d'une énergie incommensurable se meuvent dans la gloire des cieux, et vous êtes là, à me parler d'*inhalateurs*! Vous n'écoutez donc pas!

Il fit un large geste circulaire qui englobait tout le car.

— Nous sommes rassemblés ici pour accomplir la parole de Dieu et non pour nous soucier de nez qui coulent...

Il se détourna de nouveau. Mais Walter s'accrocha à son bras.

— Attendez!... Il ne s'agit pas d'un nez qui coule... La vie d'un gamin est en jeu. Ça compte. Quand vous descendrez ici demain, cet enfant sera mort. Vous en serez responsable. Vous ne pourrez pas rebrousser chemin.

— Rebrousser chemin? dit Mordecai en éclatant de rire. Vous croyez vraiment que nous pouvons rebrousser chemin? J'ai peur pour vous, monsieur. Vous n'écoutez pas. Je crois que ces agneaux, malgré leur jeune âge, perçoivent mieux le message que vous.

57

Il baissa sa tête si près du visage de Walter que celui-ci put sentir son haleine.

— Le temps — est — à sa fin… Préparez-vous.

— D'accord, dit Walter en parlant très vite, nous nous préparons. Mais pourquoi ne nous donnez-vous pas de quoi faire bouillir de l'eau et faire de la vapeur ? Ça nous aiderait. Et nous pourrions aussi nous laver. Nous aurions seulement besoin d'un réchaud, de café en poudre — Josh dit que ça le soulagerait pendant une crise — et de quelques oranges et de citrons. Ce ne sont pas des choses compliquées à trouver. En attendant. Je vous en prie. Cela n'entraverait pas notre… purification. Les enfants ont faim. Ils maigrissent. Les céréales ne suffisent pas. Certains d'entre eux souffrent de diarrhées et de crampes d'estomac. Nous avons besoin ici d'une nourriture solide que les gosses ont envie de manger.

Mordecai libéra son bras de la main de Demming.

— Vous pensez donc qu'en ces temps de fin du monde nous devrions envoyer chercher des hamburgers et des frites chez McDonald's ?

La mention des hamburgers fit abondamment saliver Walter qui sentit la graisse fondre sur sa langue.

— Oui, je le pense. Et les enfants demandent aussi combien de temps nous allons rester enfermés dans ce car. Il fait chaud. Il n'y a pas d'air. C'est malsain. Deux d'entre eux commencent à déprimer et les autres se disputent tout le temps. Ne pourrions-nous pas sortir d'ici et rester avec vous en surface ?

— Vous êtes en plein dans le processus de purification, monsieur le chauffeur de car, même si vous ne le sentez pas. Nous sommes les Hearth Jezreelites — un nom qui m'a été donné au cours d'une vision, d'un ravissement, pendant lequel j'ai été transporté devant Dieu qui m'appela par mon nom, et mon nom est le prophète Mordecai. Cela prendra cinquante jours pour vous préparer. Dieu vous purifiera même enfouis dans la terre.

Il se tourna vers Walter.

— Vous êtes ici également pour votre sécurité. Quand le gouvernement fédéral nous attaquera (il frappa sa bible contre le siège du conducteur)…, et croyez-moi, ils le feront, ici vous serez à l'abri. Ayez confiance en moi, c'est ce qu'il y a de mieux pour vous et les agneaux.

58

— Combien de temps encore ?

Samuel Mordecai tira de la poche arrière de son jean un couteau à cran d'arrêt et le brandit sous le nez de Walter :

— Vous me demandez encore combien de temps ? Vous connaissez la réponse à cette question, monsieur le conducteur. Je vous la montre chaque jour…

Avec panache, il se retourna et se plaça à l'avant du car, près d'une fenêtre.

— Le calendrier est là sous vos yeux.

Il se pencha vers la vitre sale et gratta avec son couteau l'un des cinq sparadraps collés sur la fenêtre. Ils étaient de couleur chair, décorés de tortues Ninja. Le premier jour, quand Samuel Mordecai descendit dans le car pour leur souhaiter la bienvenue, il en avait collé cinquante en rangées soigneusement alignées. Chaque sparadrap correspondait à chaque jour de ce qu'il nommait « la Pentecôte finale de la terre, jusqu'à l'Apocalypse ». Ce jour-là, il avait donné aux « agneaux » leur première leçon biblique — la première de ses pénibles harangues quotidiennes qui duraient environ trois heures. À la fin, il arrachait un sparadrap d'un geste triomphant.

Aujourd'hui, il n'en restait que quatre. Mordecai se tourna vers Walter avec un sourire.

— La réponse est : encore quatre jours, monsieur le conducteur. Jusqu'à vendredi prochain, qui est à la fois la Pâque juive et le vendredi saint des chrétiens — un vendredi très saint…

Samuel Mordecai écarta Walter de son chemin. Il avait au moins une tête de plus et de longs bras musclés. Walter se dit qu'il lui faudrait doubler ses pompes journalières.

— À présent, mes agneaux, je veux que vous discutiez entre vous de tout ce que je vous ai dit sur les signes annonciateurs et les prophéties. M. Demming dirigera vos discussions et vos prières. Ensuite, Martin viendra écouter le fruit de vos réflexions. Après quoi, il vous apportera un repas pour nourrir vos corps en préparation à votre jour de gloire.

Il brandit sa bible, sortit du car et pénétra dans la fosse. Il se hissa hors du trou d'un mouvement aisé et rapide. Pendant une seconde, ils ne virent que ses longues jambes qui ondulaient vers le haut. Une pluie de terre noire arrosa la fosse longtemps après que les bottes noires eurent disparu. Ensuite, ils entendirent le bruit grinçant de la plate-forme en bois qu'on remettait en place pour couvrir le trou.

Dans le car, personne ne dit mot ni ne bougea. C'était comme si tous les douze s'étaient mis d'accord sur la nécessité d'un silence absolu. Walter se rassit et ferma les yeux. Il n'avait rien accompli. Il ne servait à rien. Chaque jour qui passait les rapprochait de la mort — il était certain que le jour fatidique serait vendredi — et il ne pouvait rien y faire. Il était incapable de soulager la souffrance de ces enfants qui attendaient la mort. Il lui fallait trouver un stratagème. S'il avait encore l'occasion de parler au téléphone, il pourrait peut-être envoyer un message...

Il entendit la toux rauque de Josh. Il ouvrit les yeux.

— J'ai si faim, gémit Sandra. Monsieur Demming, j'ai faim.

— Martin nous apportera à manger quand nous lui aurons parlé de ce que Mordecai nous a dit aujourd'hui.

— Mais j'ai si faim que je ne pourrai pas attendre ! dit Sandra.

Walter dévisagea la petite fille assise sur le siège avant. Elle portait d'épaisses lunettes, sa peau était café au lait et elle avait une coiffure afro qui, en six semaines, avait dégénéré en un buisson de boucles emmêlées. Elle était mince et grande pour ses huit ans. De dos, la forme de sa chevelure rappelait à Walter les crêtes hirsutes des coucous terrestres qu'il voyait dans le champ derrière sa maison. Et avec ses longues jambes et sa façon de marcher penchée en avant, Sandra ressemblait en effet à un coucou. Walter éprouva l'envie de la dessiner mais il n'avait plus de papier depuis six jours, excepté pour sa réserve en cas d'urgence.

— Je veux manger maintenant, insista Sandra.

Les tiges de ses lunettes s'étaient cassées au cours d'une bagarre avec Heather. Walter avait réussi à les réparer en utilisant les sparadraps que Mordecai retirait de la vitre et jetait à terre. Il en avait assemblé plusieurs qui formaient une boule à chaque articulation entre la tige de métal et le coin du verre.

— J'ai faim aussi, ma chérie, dit Walter. C'est vraiment dur... En attendant, nous devrions parler de ce que nous allons raconter à Martin...

Il fit une pause en espérant que les enfants inventeraient

d'eux mêmes quelque chose, car il n'aimait pas leur souffler des mensonges.

Conrad Pease, dix ans, leva la main. Il venait d'une famille baptiste, très dévote. Son père était prédicateur à mi-temps. Conrad récitait couramment prières et psaumes.

— Nous pourrions lui dire que nous avons parlé des prophéties qui ont été faites il y a si longtemps et qui se réalisent maintenant et comme c'est extraordinaire qu'elles aient prédit toutes ces choses terribles sur les ordinateurs bien avant leur invention. Nous lui dirons aussi que nous espérons que M. Mordecai nous en reparlera dans ses prochaines leçons.

— Ne dis pas que nous voulons qu'il nous enseigne encore quelque chose, grogna Hector Ramirez. Je ne supporte plus ses discours de merde.

— Il le fera de toute façon, répondit Conrad. Malgré tout ce que nous pouvons dire.

— Tu ne devrais pas dire merde, Hector, dit Lucy. C'est un gros mot.

Brandon Betts, au dernier rang, leva la main. Son visage blême exprimait la colère.

— Nous devrions en parler, au contraire. Ceux qui ont l'occasion d'entendre et qui n'écoutent pas sont ceux qui seront changés en statues de sang.

Sa voix tremblante monta d'un ton.

— Nous ne devrions pas mentir et dire des gros mots au lieu de parler de Dieu. Je ne veux pas qu'il m'arrive ce qu'il a dit au sujet du couteau laser et tout ça…

Tout le monde se tut. Walter Demming regarda Lucy qui se bouchait les oreilles. C'était si compliqué. Il avait décidé dès le premier jour de dire franchement aux enfants ce qu'il pensait de Samuel Mordecai et comment il fallait se conduire envers lui. Faire semblant d'être attentifs et respectueux seulement parce qu'il avait le pouvoir sur leurs corps. Mais son message était faux et ils devaient lui résister. Pour ne pas perdre la raison. Néanmoins, quelques gosses commençaient à céder au lavage de cerveau, particulièrement Brandon Betts et Sue Ellen McGregor.

— Eh bien, dit Walter d'une voix calme, je suis certain de deux choses, Brandon. Premièrement, le monde ne va pas disparaître dans quatre jours. Je te le promets. Ça n'arrivera pas, tu n'as pas de souci à te faire. Deuxièmement, nous n'irons pas en enfer. En aucune façon. Et les statues de sang n'existent pas. En revanche, tu as peut-être raison, Brandon, quand tu dis que nous ne devrions pas mentir. Il me semblait qu'on en avait par-dessus la tête. Mais parlons-en. Qu'en pensez-vous, vous autres ? Devons-nous discuter de ce que M. Mordecai vient de nous dire ?

Une série de gémissements et de protestations lui répondit.

— Non. Nous en avons assez entendu, dit Hector. Conrad racontera à Martin ce qu'il vient de nous dire — et nous autres, nous l'encouragerons avec des euh, euh… C'est ça… Ouais, ouais… Amen.

Les enfants hochaient la tête en signe d'assentiment.

Brandon, les bras croisés sur sa poitrine, restait silencieux.

Lucy ôta ses mains de ses oreilles.

Kimberly Bassett, à genoux sur son siège, dit de sa voix autoritaire qui semblait plutôt appartenir à une femme de trente ans qu'à une petite fille de onze ans :

— C'est entendu, alors. Conrad leur dira ce que nous avons discuté. Ce n'est pas vraiment un mensonge parce que nous venons justement d'en parler.

Walter dévisagea Kimberly, avec son nez retroussé et son menton têtu. Il était stupéfait par la maîtrise d'elle-même que manifestait cette gosse. Elle l'aidait à s'occuper des plus jeunes et avait spécialement pris Josh en charge. Elle essayait de détendre le garçon avec tendresse et créativité pendant ses crises d'asthme. Dans un sens, sa haute opinion du comporte-ment idéal des adultes avait servi de modèle à Walter, songea-t-il. Il s'était souvent inspiré de Kim dans ces situations peu familières.

Le premier jour, quand la lumière s'était éteinte et que la trappe s'était refermée sur la fosse, ce fut un cauchemar. Quelques gosses se mirent à hurler, communiquant leur panique aux autres. Dans un chœur de sanglots et de cris déses-pérés, ils appelaient leurs mères ou leurs pères. Les enfants couraient dans tous les sens en se cognant les uns contre les autres dans l'obscurité. Sous tout ce tumulte, Walter entendait Josh tousser et s'étouffer.

Trébuchant contre les sièges et les enfants terrifiés, Walter essayait de les calmer avec ses mains, avec sa voix. Mais per-

sonne ne l'entendait au-dessus de la cacophonie de cris hysté-
riques. Tandis que les hurlements redoublaient, il sentit la
panique des enfants le gagner. Il ne savait plus quoi faire. Il
éprouva le besoin de hurler son angoisse avec eux.

Mais il était le seul adulte, ici, se dit-il. Ces gosses allaient
devenir fous s'il ne faisait pas quelque chose.

— Silence, vous tous !

Une voix de petite fille, une voix d'ange, s'était élevée au-
dessus de la cacophonie générale, dominant les cris et les
plaintes.

— Ça suffit, vous autres ! Quelqu'un va se faire mal si nous
ne nous tenons pas tranquilles. Calmez-vous, tous. La lumière
va revenir mais en attendant, asseyons-nous tous ensemble.
Venez à l'avant du car. Venez ! Tout le monde se tient par la
main. Approchez donc ! Notre conducteur va nous raconter
une histoire.

Notre conducteur ? C'était bien lui. Il était leur chauffeur.
Mais il ne connaissait pas d'histoires, et même s'il en connaissait une, il ne pourrait jamais la raconter dans le noir, dans tout
ce chaos. Pourtant, la voix avait promis une histoire et, comme
par miracle, la promesse avait paru calmer les enfants. Les hurlements avaient cessé. On n'entendait plus que quelques sanglots étouffés et des chuchotements. Walter sentit la pression
des petits corps qui s'agglutinaient autour de lui. Une petite
main trouva la sienne et l'agrippa. Sa chaleur et sa fermeté le
réconfortèrent. Il la serra à son tour.

Walter se racla la gorge.

— OK. Maintenant les enfants, trouvez-vous une place pour
vous asseoir et tenez la main de la personne près de vous…
Bien… Nous avons tous besoin de tenir quelqu'un par la main…

Il les entendit s'installer autour de lui dans le noir.

— Je m'appelle Walter Demming, dit-il. J'aimerais d'abord
que chacun d'entre vous me dise son nom et son âge, afin que
je puisse vous compter, faire l'appel… D'accord ? Allez-y.

Les voix s'élevèrent dans l'obscurité.

— Hector Ramirez. J'ai douze ans.

— Heather Yost. J'ai dix ans, presque onze.

— Conrad Pease. J'ai eu dix ans mardi.

— Sue Ellen McGregor, j'ai huit ans. Quel âge avez-vous,
monsieur le conducteur ?

— J'ai cinquante et un ans, dit Walter, et je m'appelle M. Demming. Continuez à donner vos noms, s'il vous plaît.

Les noms s'égrenèrent : Kimberly Bassett, onze ans. Lucy Quigley, dix ans. Josh Benderson, onze ans. Sandra Echols, huit ans. Brandon Betts, onze ans. Bucky de Carlo, six ans. Puis le silence se fit.

— Ça ne fait que dix, dit Walter. Qui n'a pas donné son nom ?

Il y eut quelques murmures et une voix dit :

— Allons, Philip, dis-lui ton nom.

Finalement, une petite voix murmura :

— Philip Trotman. J'ai neuf ans.

— Bien, dit Walter, nous sommes là, tous les douze.

Cela avait été son premier appel.

Ensuite, tenant toujours la petite main, il s'assit en tailleur dans l'allée centrale en espérant qu'une histoire lui vienne à l'esprit. Les enfants attendaient. Il sentit leur impatience. C'était leur attente qui avait extirpé de son cerveau une histoire dont il ignorait la présence, songea-t-il plus tard.

— Il était une fois un vautour qui vivait à Austin, Texas. Il s'appelait Jacksonville et son meilleur copain se nommait Lopez. Il était triste parce qu'il était laid et que personne ne pourrait l'aimer…

L'histoire commença d'abord péniblement, sans beaucoup d'imagination, mais peu à peu elle prit vie et lorsque la lumière revint, Jacksonville et Lopez avaient reçu une mission spéciale du président des États-Unis. Tous les enfants s'étaient calmés.

Hélas, le calme ne dura pas longtemps, car avec la lumière arriva Samuel Mordecai qui commença à prêcher. Il arpentait l'allée centrale du car en crachant des versets de la Bible et des prophéties de fin du monde.

Quarante-six jours s'étaient écoulés, et l'homme venait prêcher chaque jour en marchant de long en large.

Au moins, la lumière ne s'était plus éteinte après sa première visite. Cette obscurité terrifiante ne s'était plus renouvelée. Tout le monde s'en préoccupait néanmoins. Chaque fois qu'une ampoule baissait ou clignotait, ils avaient peur que la lumière ne s'éteigne. La possibilité que les jezreelites coupent le courant et les plongent dans le noir, et la panique du premier jour subsistaient.

Walter entendit le frottement du panneau de bois qu'on faisait glisser. Douze paires d'yeux affamés se fixèrent sur la fosse à la porte du car. Deux chaussures de tennis blanches, sales, apparurent d'abord, suivies de deux jambes maigres et poilues, dans un short kaki. Martin sauta à terre, sa poitrine et ses épaules étroites se soulevant spasmodiquement sous l'effort. Comme toujours, son visage émacié était sans expression.

— Conrad, dit Walter, veux-tu conclure notre discussion par une prière ?

— Oui, m'sieur. Courbez la tête, s'il vous plaît...

Conrad se leva et emprunta la voix solennelle qu'il utilisait pour les sujets religieux.

— Notre Père qui êtes aux Cieux, aidez-nous à comprendre le message qu'on nous a transmis. Merci pour vos bienfaits et rendez-nous toujours attentifs aux besoins des autres. Amen.

— Amen ! entonnèrent-ils tous en chœur.

Les enfants levèrent la tête pour voir si Martin avait apporté un carton de nourriture. Mais il était entré dans le car les mains vides.

Sandra se mit à pleurer. Hector s'écria :

— Où est le petit déjeuner, mec ?

Les onze gosses s'affaissèrent sur leur siège.

Walter sentit son estomac se tordre sous l'emprise de la faim. Il se leva et s'approcha de Martin, le seul jezreelite qu'ils voyaient en dehors de Samuel Mordecai.

— Bonjour, dit Walter en essayant d'intercepter le regard de l'homme.

Mais Martin détournait obstinément ses petits yeux rapprochés.

— Pas d'espoir de manger une petite pizza ou un gros hamburger aujourd'hui ? demanda Walter avec une jovialité forcée. Pourtant, nous méritons une récompense. Ça stimulerait nos prières d'action de grâces et nos louanges du Seigneur.

— Vous êtes supposés me dire de quoi vous avez parlé, dit Martin. Après, je vous apporterai les céréales.

— Conrad vous fera un rapport sur notre discussion, dit Walter en s'approchant plus près de Martin. Mais ne pourriez-vous pas nous apporter aussi une nouvelle ampoule ? Celle de l'arrière du car s'est éteinte hier soir. Et, Martin, nous avons vraiment besoin d'eau chaude pour nous laver et faire respirer de la vapeur à Josh pendant ses crises d'asthme. Vous auriez peut-être un réchaud ou simplement une cafetière électrique avec une rallonge ? S'il vous plaît, Martin, c'est urgent. Nous avons besoin aussi de savon.

Walter essaya vainement de croiser le regard de Martin qui l'évitait.

— Alors, dit Martin, qui va me raconter votre discussion ?

Tandis que Conrad récitait consciencieusement les sujets théologiques qu'ils avaient évoqués, Walter étudiait l'apparence de leur geôlier. Martin avait des cheveux noirs et graisseux, aplatis en arrière sur son front étroit. Son nez était long et crochu, ses lèvres si minces qu'on les voyait à peine. Une barbe noire de plusieurs jours couvrait irrégulièrement ses joues et son menton. Il arborait une expression d'impatience perpétuelle. Si Walter devait le caricaturer en oiseau, ce serait sans doute un geai ordinaire.

Walter songea que, durant leur captivité, Martin était descendu dans le car deux ou trois fois par jour pour leur apporter de l'eau et de la nourriture — c'est-à-dire une centaine de visites au moins — et pendant tout ce temps, il n'avait jamais jeté un regard sur Walter ni aucun des enfants. Comme un jury qui ne regarde jamais en face la personne qu'il va condamner. C'est ce qui avait irrévocablement convaincu Walter qu'ils étaient tous condamnés à mourir.

5

« Secte » est un terme que les gens utilisent pour dénigrer un groupe religieux qu'ils jugent impunément extrémiste. Mais les adeptes de la secte se voient comme les défenseurs de la religion vraie et unique et les disciples du seul prophète possédant un accès direct à l'éternité.

Molly CATES, « La culture des sectes au Texas », *Lone Star Monthly*, décembre 1994.

L'ADRESSE de Jacob Alesky était à Piney Haven, un lotissement pour caravanes situé sur Barton Springs Road. L'attention de Molly avait souvent été attirée par ce parc qu'elle longeait en voiture car il lui faisait penser à une poche isolée de l'Amérique rurale des années 60, perdue au milieu du développement moderne de l'Austin des années 90. Piney Haven était situé en bordure d'une avenue commerciale animée, remplie de bars et de restaurants à la mode, qui contrastait avec l'atmosphère anachronique de cet îlot protégé, aux lumières tamisées et au charme désuet. Un chemin de terre sinueux traversait les grands pins parasols et les hauts pacaniers qui abritaient des rangées de caravanes paraissant implantées définitivement dans le paysage. Ce jour-là, par trente-cinq degrés, l'ombre de ces arbres était particulièrement accueillante.

Molly s'arrêta au bureau d'accueil délabré. Une adolescente d'une douzaine d'années, perchée sur le bureau, lisait une BD en remuant les lèvres.

— Bonjour ! dit Molly. Pourriez-vous m'indiquer où habite Jacob Alesky ?

— Continuez tout droit, dit la fille sans lever les yeux. La seconde caravane, en partant de la fin, avec un auvent vert.

— Est-il là ?

— Sans doute, dit-elle en levant la tête. Il ne sort pas beaucoup, ces temps-ci.

Elle retourna à sa lecture. Molly réprima l'envie de lui

demander pourquoi Jacob Alesky ne sortait plus beaucoup. Après tout, elle le découvrirait elle-même.

Molly conduisit sa camionnette jusqu'au bout du chemin. Elle admira en passant d'antiques caravanes Airstream de collection, dont les sympathiques contours arrondis, l'acier inoxydable brillant, l'avaient toujours séduite. Elles lui donnaient la nostalgie d'une époque plus douce et plus facile, comme le faisaient les juke-boxes et les camionnettes Chevrolet des années 50. Un désir vague, songea-t-elle, pour quelque chose qu'elle n'avait pas connu.

Elle se gara devant une longue caravane beige clair le long de laquelle courait un store à rayures blanches et vertes. Sous l'auvent, sur une terrasse en pierres, il y avait trois chaises longues et un petit barbecue japonais. Molly traversa la terrasse jusqu'à la porte qui était entrouverte. Elle essaya de voir à l'intérieur mais il faisait trop sombre pour apercevoir quoi que ce soit.

— Monsieur Alesky ! cria-t-elle. Êtes-vous là ?

— Qui veut le savoir ? répondit une profonde voix de basse avec une pointe d'agacement.

— Molly Cates. Je travaille pour un magazine, le *Lone Star Monthly*, monsieur Alesky. Je voulais vous téléphoner mais je n'ai pas trouvé votre numéro.

— C'est parce que je n'en ai pas.

Molly jeta un coup d'œil sur la ligne de téléphone raccordée d'un poteau à l'extrémité de la caravane. Elle ne fit pas de commentaire. Elle attendait que l'homme apparaisse sur le seuil. Il n'en fit rien. Au bout d'une minute interminable, elle s'écria :

— Est-ce que je peux vous parler, monsieur Alesky ?

— À quel sujet ?

— J'ai horreur de crier... Pouvez-vous venir jusqu'à la porte ?

Un long silence lui répondit.

Un énorme chat noir aux longs poils émergea de sous la caravane. Il s'étira et avança majestueusement vers Molly. Son pelage était emmêlé d'épis de bardane. Ça ne l'empêcha pas de se frotter avec volupté contre sa jambe. À contrecœur, Molly se baissa pour le gratter sous le menton. Elle n'aimait pas beaucoup les chats et trouvait celui-ci particulièrement rébarbatif. Mais elle appliqua la vieille astuce des reporters : être gentil

avec les enfants et les animaux des gens qu'on voulait interviewer. Elle gratta donc consciencieusement le matou.

Molly leva ensuite la tête pour voir si elle avait eu un témoin.
Elle en avait un, effectivement. Un homme assis dans un fauteuil roulant qui la regardait avec attention.

— Un beau chat, hein? dit-il.

— Affectueux, en tout cas, répondit Molly.

— Affectueux, certainement, dit l'homme. Il appartient à
mes voisins qui ne sont pas affectueux et qui ont tendance à
oublier qu'ils ont un chat.

— Je suis Molly Cates.

— Vous l'avez déjà dit.

— Êtes-vous Jacob Alesky?

— Ce qu'il en reste, répondit-il en faisant un salut de son
bras droit. À votre service, madame.

La première réaction de Molly était de détourner les yeux,
mais elle se força à le regarder en face. Alesky n'était qu'un
tronc calé dans un fauteuil roulant. Le seuil de la porte, où il se
trouvait, était dans la pénombre, de sorte que Molly ne pouvait
discerner ce qui était encore là sous l'amas de tissu drapé de
son pantalon. Elle crut apercevoir le moignon protubérant de la
cuisse gauche, mais il n'était surtout qu'un long torse avec des
bras.

— Monsieur Alesky, si le moment vous convient, j'aimerais parler avec vous de Walter Demming.

— Comment avez-vous appris mon existence?

— Par une personne qui travaille à mon journal. Elle
connaît quelqu'un qui habite ici et qui lui a dit que vous êtes un
vieil ami de Demming. Elle m'en a informée parce que je veux
écrire un article sur les jezreelites.

— Eh bien, le FBI m'a trouvé dès la première semaine. La
presse a mis plus de temps. J'ai bien pensé que vous viendriez
ici, depuis que Walter est devenu une célébrité!

Il eut un rire profond d'homme entier qui surprit Molly.

— Une célébrité malgré lui, bien sûr. Mademoiselle Cates,
vous ne pouvez vous rendre compte du comique de la situation.
Walter Demming est la dernière personne au monde à recher-
cher la notoriété.

— Pourquoi ça?

— Walter a fait deux vœux quand il est revenu du Viêt-nam.

Il s'est juré de vivre reclus et sans attaches. Il a vécu sans téléphone pendant vingt ans. Je parie qu'il regrette amèrement d'en avoir un maintenant.

— Pourquoi ?

— Parce que le téléphone a tendance à vous aspirer dans le monde. Il en a pris un quand il s'est mis à conduire le car afin qu'on puisse le joindre pour les changements d'horaires. Et voilà que ça l'a mené à ce qu'il déteste le plus.

— C'est-à-dire ?

— Le conflit et la violence, dit-il d'un ton crispé. Dans quel monde vivons-nous, où ce que l'on cherche le plus à fuir nous rattrape ?

Il rit encore.

— Je pourrais vous parler de ses autres vœux mais je ne vous connais pas assez...

— Nous pourrions remédier à cette situation, dit Molly en désignant les chaises longues. Je peux m'asseoir et nous pourrions boire une bière. J'ai un pack de Coors Light au frais dans ma camionnette. Voulez-vous vous joindre à moi ?

— OK, dit-il en penchant la tête sur le côté. Une bière serait la bienvenue avec cette chaleur. Je descends. Nous nous assiérons sur la véranda.

Il traîna sur les syllabes de « véranda » pour faire bien et mettre en valeur l'accent du Sud.

Molly regarda les trois marches qui conduisaient de la porte de la caravane à la terrasse, puis le fauteuil roulant. Elle se demandait comment il allait descendre.

— Ne vous en faites pas pour moi, dit Alesky. Allez chercher la bière et à votre retour je serai là.

Son fauteuil roulant disparut à l'intérieur.

Molly retourna à la camionnette et en sortit la glacière rouge. Quand elle se retourna, Alesky, dans son fauteuil roulant, descendait comme par magie sur une plate-forme qu'elle n'avait pas remarquée, à droite de la porte. Avec un léger ronronnement, le monte-charge le déposa sur la terrasse. Il avança son fauteuil auprès de l'une des chaises longues et leva les yeux vers Molly qui s'approchait. D'un regard approbateur, il admira le balancement de ses hanches.

Elle le dévisagea à son tour. Il avait dû être grand à en juger par la longueur de son torse et de ses bras. Si ses jambes avaient été en proportion avec le reste de son corps, il aurait facilement mesuré un mètre quatre-vingt-dix. Une ride profonde traversait son front et de vieilles cicatrices d'acné sillonnaient ses joues. Des traces rouges de furoncles enflammaient son cou, comme cela arrive aux adolescents. Il n'avait pas loin de cinquante ans, songea Molly. Son nez, à l'arête aiguë, semblait avoir été cassé plusieurs fois. Ses cheveux courts se dressaient en piques noires sur sa tête.

— Alors, qu'est-ce que vous en pensez? demanda-t-il.

Molly s'assit sur la chaise la plus proche de lui. Elle déposa la glacière à ses pieds.

— Je pense que nous allons passer une bonne après-midi, assis à l'ombre, à boire de la bière fraîche.

— Je veux dire, qu'est-ce que vous pensez de moi — de mon aspect physique?

Molly sortit de la glace une canette de bière argentée et la décapsula. Elle le regarda en face en lui tendant la bière. De longs cils noirs ombraient les yeux noisette d'Alesky. Le regard insistant de l'homme réclamait une réponse.

— Je pense qu'il y a plus de vous ici qu'il n'en est resté là-bas, répondit-elle.

Penchant la tête en arrière, Alesky but une longue gorgée de bière. Sa pomme d'Adam bougeait pendant qu'il avalait. Il posa la canette et dit :

— Qu'est-il resté là-bas, à votre avis?

— Eh bien, je ne sais pas, dit-elle en fixant les beaux yeux noisette. Mais je peux voir qu'il en reste beaucoup ici.

— Le cliché du verre à moitié plein..., dit-il aimablement.

— Pas vraiment. Je ne serais pas aussi positive. Mais je suis toujours étonnée par la perte. J'ai vu des catastrophes survenir — aux gens, à moi-même — et j'ai pensé, c'est la fin, tout est foutu. Mais les gens survivent et continuent… Et ça m'étonne toujours de voir qu'il reste plus qu'on ne pense…

— Il faut voir…, dit-il avec un sourire.

— Monsieur Alesky, je voudrais vous poser des questions…

— Jake. Je m'appelle Jake.

— Bien. Jake. Et moi, je suis Molly.

Elle se baissa et sortit son carnet de son sac.

— Molly, dit-il d'un ton approbateur. J'aime ça... Molly.

Elle songea que Jake Alesky devait être un homme qui aimait vraiment les femmes. Elle espéra ardemment qu'il y avait des femmes qui l'aimaient également.

— Vous connaissez Walter Demming depuis longtemps — depuis le Viêt-nam, m'a dit mon ami.

Il hocha la tête.

— C'est de l'histoire ancienne. Si vous croyez que je vais vous parler de ça simplement parce que vous m'avez apporté cette bière, vous vous trompez. Pourquoi vous parlerais-je de Walter Demming? C'est un homme très jaloux de sa vie privée.

— Plus maintenant. Il s'est trouvé au mauvais endroit au mauvais moment. Maintenant, il est devenu une célébrité, comme vous l'avez dit — même si c'est contre son gré. Il appartient au domaine public et comme j'ai l'intention d'écrire quelque chose sur lui, autant que cela soit correct. C'est l'occasion pour vous d'établir la vérité.

Il ne répondit pas tout de suite. Il but une longue lampée de bière et observa le chat qui avait sauté sur une souche d'arbre et se léchait une patte.

— Peut-être, dit-il enfin. Je vous parlerai peut-être de lui, mais avant, je voudrais savoir quelque chose... Quand vous voyez ce cinglé de Mordecai prendre son pied avec toute cette publicité autour de lui, ne vous sentez-vous pas un peu... gênée d'écrire sur ce type, de lui donner ce qu'il veut, de l'encourager même?

Cette question avait hanté Molly tout au long de sa carrière de journaliste.

— Laissez-moi retourner un peu en arrière, dit-elle. Il y a deux ans, après la tragédie de Waco, j'ai écrit un papier sur les sectes apocalyptiques du Texas. Samuel Mordecai était l'un des chefs que j'ai interviewés. J'ai choisi ce sujet parce que l'obsession m'a toujours intéressée. Je voulais comprendre ce qui conduit quelqu'un à un fanatisme si extrême qu'il est prêt à vivre et à mourir pour sa croyance. En tout cas, une fois que j'étais plongée dedans, j'ai haï tout ça. J'ai haï Samuel Mordecai et cette religion dingue en laquelle il croit. Et par-dessus tout, j'avais ce sentiment glauque, ce malaise au sujet de ce qui se passait chez les jezreelites. Donc, pour répondre à votre question, oui, ça me préoccupe de donner à Mordecai la publicité dont il raffole.

— Alors, pourquoi écrivez-vous encore sur lui, puisque vous l'avez détesté la première fois ?

— Eh bien, je n'ai pas fait le vœu de ne plus rien écrire de sensationnel, vous savez. Mon patron pense que cette affaire sera un scoop pour moi. Alors, je la couvre. En outre, je suis une obsédée de l'obsession… je ne sais pas trop pourquoi…

— Ça m'a tout l'air d'une réponse honnête, dit Alesky. Laissez-moi vous poser une deuxième question : puisque vous avez rencontré ce Mordecai, vous devez avoir une idée sur ce qui va arriver. Que pensez-vous des chances de Walter et des gosses ?

Molly sentit sa gorge se serrer. Elle détestait exprimer tout haut ses angoisses qui couvaient sous la surface.

— Je ne sais pas. Je n'en sais rien, Jake, mais j'ai peur. Samuel Mordecai n'est pas le genre de type à laisser passer le 14 avril, le jour de la fin du monde — selon lui — sans rien faire… Il ne va pas dire tranquillement à la fin de la journée : « Zut alors, je me suis gouré… excusez-moi… » Ça, ça n'arrivera pas.

— Mais il ne peut quand même pas faire sauter la planète ! dit Jake.

Molly haussa les épaules.

— Oh la la ! Ce dingue vous a vraiment fait une forte impression, madame.

— Molly.

— Ce fou vous a vraiment impressionnée, Molly.

— Oui, en effet. Il m'a fait très peur.

Jake termina sa bière et regarda la glacière.

— Encore une bière ? demanda Molly.

— Avec plaisir.

Molly prit la canette vide et lui tendit une bière fraîche.

— Merci, dit-il. J'ai négligé mes courses, ces temps-ci… Que savez-vous au sujet de Walter ?

— Presque rien. J'ai vu sa photo dans le journal. Je sais qu'il est vétéran du Viêt-nam, qu'il a passé son enfance à Beaumont, qu'il a joué au football, qu'il est allé à l'université de Rice pendant deux ans, qu'il conduit les enfants en car à l'école et qu'il pratique un peu de jardinage. C'est tout.

73

Molly but une longue gorgée.

— Parlez-moi de lui.

Jake regarda fixement sa canette de bière pendant quelques secondes.

— C'est bien plus dur de décrire quelqu'un qu'on connaît très bien qu'une personne que l'on connaît à peine. Vous avez déjà remarqué ça?

— Oui. Je crois que c'est parce qu'on connaît toutes les contradictions et les complexités de la personne. C'est difficile d'en faire la synthèse. Est-ce que ça vous aiderait si je vous posais des questions?

— D'accord, demandez-moi des choses faciles pour commencer... On verra bien.

— Quel était son sentiment sur la guerre du Viêt-nam?

— Si c'est une question facile, dit Jake en riant, ça promet pour la suite! Que pensait-il de la guerre? Eh bien, Walter est arrivé au Viêt-nam plein de fougue et d'ardeur guerrière. Vous auriez dû le voir — le prof de lycée râblé, à la grande gueule — un vrai John Wayne. Le héros américain. Vous savez... du genre à porter les cheveux en brosse bien avant que l'armée ne le lui impose. Impatient de montrer son agressivité et son courage.

Il laissa son regard vagabonder vers l'ombre tachetée de lumière sous les arbres. Il dit enfin en fronçant les sourcils:

— Onze mois plus tard, mon Dieu, il n'était plus que l'ombre d'un guerrier et moi, j'étais devenu ceci.

Il jeta un coup d'œil à l'endroit où ses jambes auraient dû se trouver.

— Je crois que le changement opéré en lui a été encore plus tragique que ce qui m'est arrivé à moi. Pour répondre à votre question, Walter est parti à la guerre en croyant que la guerre était nécessaire pour donner une leçon aux communistes, les remettre à leur place. Mais en fin de compte, c'est lui qui a appris la leçon...

— Quelle était la leçon?

— Eh bien, Molly, ce n'est pas facile de résumer ces choses-là, n'est-ce pas?

— Non. Certainement pas.

— Je vais essayer. Au zoo de Milwaukee — je suis de Milwaukee, le saviez-vous?

— Non.

— Eh bien, au zoo de Milwaukee où je passais la plupart de mon temps libre quand j'étais gosse, il y a une pancarte sur une cage qui dit : *L'animal le plus dangereux du monde.* Quand on s'approche pour regarder à l'intérieur, on voit sa propre image reflétée dans un miroir au fond de la cage.

— Amen, dit Molly en hochant la tête.

— Ouais, dit Jake en avalant une lampée de bière, et un gars du Texas de vingt ans est peut-être le meilleur spécimen de cette espèce.

— Et c'est la leçon que Walter Demming a apprise au Viêt-nam ?

— L'une d'entre elles.

— Dans quelles circonstances a-t-il appris cette leçon ?

Il écrasa la canette qu'il tenait dans sa main droite aussi facilement que si c'était une boule de papier.

— Ça, c'est quelque chose dont je ne parlerai pas, dit-il calmement. Alors, ne vous donnez plus la peine de me le demander.

Molly prit mentalement la résolution de le faire — justement. D'après son expérience, quand les gens disent qu'ils ne veulent absolument pas parler d'un sujet particulier, ils finissent habituellement par en parler longuement.

— D'accord, dit-elle. Je me demandais aussi autre chose… Si Walter a été à Rice pendant deux ans, il devait être un bon élève. Comment se fait-il qu'il ait terminé chauffeur de car ?

— Votre question me déçoit, Molly, dit Jake. Elle dénote un esprit conventionnel qui juge quelqu'un d'après ce qu'il fait pour gagner sa vie. De toute manière, il n'a pas encore *terminé* sa vie — à moins qu'il soit déjà mort tandis que nous parlons.

Molly dévisagea l'homme assis à côté d'elle avec un respect nouveau.

— Je suis de votre avis. C'est une question nulle. Je pourrais me défendre en disant que la plupart de mes lecteurs sont des yuppies qui se poseront la question. Mais ce n'est pas une excuse…

Molly lui sourit.

— Néanmoins, j'aimerais que vous répondiez à ma question en dépit de sa banalité.

— D'accord. Je pourrais dire, en guise d'explication, qu'après le Viêt-nam, Walter a tout laissé tomber.

75

— Laissé tomber?

— Ouais. Dans le cas de Walter, la chute a été dure. Un vrai crash. Comme tomber du ciel en atterrissant sur la tête. Ouais, il a tout plaqué. Il conduit un car pour se faire de l'argent. Ce n'est pas ce qu'il *fait*.

— Que fait-il réellement?

— Eh bien, dit-il en regardant Molly d'un air pensif... je peux vous montrer... Je crois que vous trouverez ça intéressant. Mais il faut nous rendre dans sa maison.

Molly sentit son pouls s'accélérer.

— Je ne demande pas mieux, dit-elle d'une voix calme.

— J'ai une clé. Je dois surveiller la maison de temps en temps. C'est Mme Shea qui prend soin de sa maison, mais j'aimerais bien aller voir...

— Quand voulez-vous y aller?

— Pourquoi pas maintenant?

— Oh, je ne peux pas, dit Molly en regardant sa montre. J'ai rendez-vous avec ma fille dans une demi-heure et j'ai une interview par téléphone juste après. Pouvons-nous y aller demain?

— Bien sûr.

Il avait l'air déçu. Molly eut la tentation de remettre son rendez-vous mais Jo Beth devait déjà être en route et son interview avec le docteur Asquith était importante.

— Je dois me rendre à Elgin, le matin, dit-elle. Est-ce que l'après-midi vous conviendrait? Je pourrais passer vous prendre vers 16 heures.

— Je serai ici, dit-il.

— Vous ne m'avez pas parlé des autres vœux que Walter a faits?

— Gardons ça pour demain.

— OK, dit-elle en jetant les canettes vides dans la glacière qu'elle referma.

Au moment de partir, Molly se retourna :

— Vous avez dit que vous n'avez pas beaucoup de provisions, Jake. Demain, je fais des courses pour la semaine. Est-ce que je peux vous apporter quelque chose?

— C'est gentil à vous d'y penser. Mais ne pourrions-nous plutôt nous arrêter dans une épicerie en revenant de chez Walter? Comme ça je ferai mes propres courses...

76

— Certainement, dit Molly en se demandant comment il s'y prendrait.

— Ne vous faites pas de souci. Je peux entrer et sortir tout seul. J'ai simplement besoin que vous m'aidiez avec le fauteuil.

— Entendu. À demain, Jake.

Elle marcha vers sa camionnette, la glacière sous le bras.

— Oh, Molly ! Vous pourriez peut-être me laisser la glacière jusqu'à demain ?

Elle lui rapporta la boîte à glace en se demandant si la tolérance à l'alcool diminuait avec l'absence de jambes.

— Posez-la ici sur la chaise, s'il vous plaît, afin que je puisse l'atteindre facilement, dit Jake. Comme vous l'avez dit tout à l'heure, c'est un après-midi rêvé pour boire à l'ombre une bière ou deux...

Le volume de la musique semblait à Molly plus fort qu'à l'accoutumée, et le rythme plus rapide.

— En bas, en haut ! hurla Michelle de sa plate-forme. O.K... Maintenant, projetez le bassin en avant. Accroupies, en bas, bassin en avant et en haut...

Molly sourit à son reflet dans le miroir. Elle avait vraiment l'air ridicule. Est-ce que la lutte contre la pesanteur méritait cette indignité ?

Elle admira les jambes musclées, bronzées, parfaites, de Michelle, quarante-sept ans, dans son short orange fluo, très court. Si, après tout, ça valait la peine. La vanité est l'une des motivations les plus fortes au monde, songea Molly.

— Alors, maman, dit Jo Beth, tu vas aller à Jezreel rejoindre la horde barbare des reporters ?

— Sûrement pas. Je verrai mieux ce qui se passe à la télé.

— Papa semble très affecté par cette histoire. Je ne l'ai jamais vu aussi frustré.

— Ouais, c'est vrai, dit Molly.

Molly songea à la dernière fois qu'elle avait vu Grady Traynor, son ex-mari et amant du moment. C'était cinq jours auparavant, pendant l'un de ses rares jours de congé. Grady avait été stressé, de mauvaise humeur et épuisé. Lieutenant à la section homicides de la police d'Austin, il coopérait depuis six semaines avec une équipe d'agents du FBI, campés sur le site des jezreelites, qui tentaient de négocier la libération de Walter Demming et des onze enfants. Grâce à son expérience, Grady avait une solide réputation dans le domaine de la négociation en matière d'otages, mais négocier avec un Samuel Mordecai était une autre affaire. Au cours de ces longues semaines de négociations, ils n'avaient obtenu aucune concession.

— Et, maman, cria Joe Beth par-dessus les battements de la musique, il est embêté à l'idée de laisser Copper tout seul quand il commence tout juste à s'habituer…

— Ah mon Dieu ! Ce chien…

— Mais maman, ce chien est un fonctionnaire à la retraite ! Les yeux de Joe Beth brillaient, amusés.

— Ce chien est un sale bâtard qui bave, et par-dessus le marché, c'est un inadapté social. Je n'y comprends rien. Ton père ne s'est jamais intéressé aux chiens et à présent, à son âge, il recueille cette bête sauvage !

— Maman, c'est un héros et on allait l'abattre !

— Je sais, ma chérie, mais…

— Ouais, il a quelques mauvaises habitudes. Il mérite donc une balle dans la tête ? Moi, je pense que c'est super de la part de papa de l'avoir sauvé. J'aimerais l'aider, mais je ne peux pas à cause de Java et de Luna qui ne supportent pas Copper.

— C'est évident. Ce sont des chiens normaux. Un peu exubérants, mais…

— Pliez vos jambes ! hurla Michelle. Plus *bas* ! Les fesses parallèles au sol !

Jo Beth plia davantage ses genoux.

— Papa espérait vraiment que tu pourrais l'aider étant donné que tu as un jardin clos derrière ta maison et que tu travailles chez toi…

— Non. Jo Beth, ce n'est pas juste. Je ne veux pas de chien, en général, et surtout pas de ce chien-là en particulier. Et je ne comprends vraiment pas pourquoi ton père s'est embarqué dans cette histoire…

— Eh bien, maman, dit Jo Beth avec un sourire indulgent, réfléchis sur ma théorie : papa essaie peut-être de reconstruire la cellule familiale et il pense que ça vous aidera peut-être à vous réunir.

— Quoi ?

Molly était sidérée. À tous les points de vue. Elle ne savait pas comment réfuter cette folle théorie.

— Jo Beth, c'est complètement dingo. D'abord, papa ne veut pas ça du tout. Ensuite, même s'il le voulait, la dernière chose à faire serait d'introduire dans le cercle familial un dangereux chien d'attaque. Pour finir, ton père sait qu'après trois essais infructueux au mariage et à la vie domestique, j'ai renoncé aux deux. Je ne serai plus jamais une femme au foyer. Ni pour un homme. Ni pour un chien. Plus jamais.

— Jamais ? Si ma mémoire est bonne, c'est ce que tu as dit la semaine dernière à propos d'un article sur Jezreel.

— C'est différent. J'ai besoin de gagner ma vie. Mon patron m'a confié une mission et m'a convaincue que c'était dans mon propre intérêt. Maintenant que j'ai commencé, ça m'intéresse. Voilà tout.

— Eh bien, je pense que la même chose pourrait t'arriver avec Copper. Il s'apprivoiserait avec un peu de…

— Non !

À l'autre bout de la salle, Michelle ordonna :

— OK, on travaille au sol. C'est le moment des pompes !

Molly et Jo Beth étalèrent leurs serviettes par terre et se mirent à quatre pattes.

— Genoux écartés, abdominaux serrés, dos droits… On en fait trente pour commencer ! hurla le professeur par-dessus le battement régulier de la salsa sur un rythme d'aérobic.

— Oh, mon Dieu ! haleta Molly après trois pompes. Est-ce que ça deviendra plus facile un jour ? Est-ce que ça vaut la peine ?

— L'ultime question eschatologique ! dit Jo Beth en montant et descendant aisément sur ses bras. Tu peux demander à ton prêcheur apocalyptique et radiophonique que tu vas interviewer tout à l'heure — est-ce que tous les croyants auront des muscles dans le prochain millénaire sans se fatiguer ?

— Je lui poserai la question, dit Molly. En voici une autre : aurons-nous des corps neufs quand nous ressusciterons ou garderons-nous nos vieux corps avachis ?

— Je sais une chose, maman : si c'est la fin du monde dans cinq jours et que nous ayons de nouveaux corps, je préfère aller manger une pizza que faire ces conneries de pompes.

— Ouais, dit Molly essoufflée. S'il dit pas de pompes pour les croyants, je me convertis tout de suite…

L'accent sudiste prononcé de son interlocuteur suggéra immédiatement à Molly l'image d'un grand type maigre, ascétique, aux lèvres minces, au regard astigmate, à la calvitie naissante.

— Ah, mademoiselle Cates, je souffre du décalage horaire comme c'est pas possible ! Ce n'est pas un bon moment pour vous parler. Il n'est peut-être que 9 heures du soir au Texas mais il est 2 heures du matin à Jérusalem. Mon corps fonctionne encore à l'heure de la Terre sainte et j'ai du mal à garder les yeux ouverts.

— Docteur Asquith, je suis désolée de vous ennuyer maintenant mais il reste si peu de temps pour résoudre cette affaire des jezreelites... Addie Dodgin affirme que vous avez une connaissance profonde de la théologie de Samuel Mordecai.

— Tout ce que j'ai pu apprendre au sujet de M. D. R. Grimes est pure coïncidence et bien contre mon gré. Mademoiselle Cates, quel est votre intérêt dans cette histoire ?

— J'écris un article sur Samuel Mordecai pour la publication à laquelle je travaille...

— Quelle est cette publication ?

Molly s'étira sur le canapé dans son bureau. Elle avait espéré qu'il ne poserait pas la question.

— Le *Lone Star Monthly*.

Il y eu un long silence, comme si elle avait dit *Fouettée et Menottée*.

— Adeline ne m'en a pas parlé. Vous n'êtes pas la personne qui a écrit cet article sur les événements d'il y a deux ans ?

— J'écris beaucoup d'articles, dit Molly en fermant les yeux.

— Je veux parler de l'article sur les cultes au Texas qui croient en l'Apocalypse ?

— Oui, c'est moi qui ai écrit cet article.

— Eh bien, j'ai le regret de vous dire, mademoiselle Cates, et je n'ai pas l'habitude de contredire ou d'insulter les dames — car je vous respecte toutes —, mais à mon avis c'était un papier injuste, impardonnable et blasphématoire.

— En quoi était-il injuste, docteur Asquith ? demanda Molly d'une voix égale.

80

9

Évidemment, le christianisme a été jadis une secte locale que les chefs de la religion établie et le gouvernement de l'époque ont jugée menaçante. Ils la considéraient extrémiste, subversive, et potentiellement violente. L'Histoire leur a donné raison.

Molly CATES, « La culture des sectes au Texas »,
Lone Star Monthly, décembre 1993.

LE CHIEN dormait par terre devant la porte de la chambre à coucher. Étendu de tout son long, il bloquait entièrement le seuil. Une petite tache de bave s'était formée sur le parquet sous son long museau.

— Allez, bouge-toi, dit Molly.

Il ne broncha pas. Elle lui toucha le dos de son pied nu. Il bondit sur ses pattes avec une telle énergie que Molly, effrayée, fit un pas en arrière.

Pour dissimuler sa peur, elle prit un ton de voix autoritaire.

— Copperfield, tu vas sortir dans le jardin, immédiatement !

Elle avait grandi avec des chiens sur le ranch de son père. Elle les aimait bien. Mais cette créature au tempérament nerveux et volatil n'avait rien à voir avec les braves chiens de chasse de son enfance. Pourquoi donc avait-elle accepté de le garder ?

Le chien regardait Molly. Elle tremblait de tous ses membres. Elle traversa le living-room et fit glisser la grande vitre qui donnait sur le jardin. Elle s'écarta légèrement.

— Allons, Copper ! Sors !

Le chien ne bougea pas.

— J'ai dit « dehors » !

Copper baissa la tête et la queue.

— Zut, Copper ! Viens ici !

Le chien s'avança lentement vers elle, pas à pas, comme s'il traversait des sables mouvants. Sa grosse tête tombait ainsi que sa queue. En arrivant devant la porte coulissante, il s'arrêta. Molly l'attrapa par son collier de force et le traîna dehors.

Ensuite, elle entra et referma la fenêtre du salon. Il la regarda fixement à travers la vitre.

Avant qu'elle n'ait eu le temps d'arriver à la porte de sa chambre, il se mit à aboyer furieusement. Molly fit volte-face en criant : « Non ! » En guise de réponse, le chien émit un fort aboiement qui semblait faire écho à son « non ». Elle hurla encore « non ! » Il l'imita de nouveau. Elle entra dans sa chambre pour mettre ses chaussures. Les aboiements s'intensifièrent. Enfer et damnation ! Les voisins allaient devenir fous si le chien continuait ainsi.

Enfilant ses mocassins, elle retourna dans le living vers la porte en verre. Le chien avait laissé une grosse tache de buée sur la vitre. Ses hurlements étaient si intenses et exaspérants qu'elle ne pouvait pas le laisser dehors. Les gens de ce quartier résidentiel et tranquille ne le toléreraient pas. Mais elle ne pouvait pas non plus le laisser à la maison. Grady l'avait avertie que lorsqu'il restait seul, il avait tendance à tout déchiqueter. Zut.

Molly regarda sa montre. 15 h 50. Elle devait passer prendre Jake Alesky à 16 heures. Elle regarda fixement le chien, essayant de l'intimider. Les aboiements redoublèrent de plus belle.

Molly ouvrit la porte coulissante. Le chien se précipita à l'intérieur, haletant, faisant des cercles autour d'elle.

— Qu'est-ce que je vais faire de toi ? dit-elle.

Le chien courut à la porte d'entrée et s'assit devant, en regardant la porte.

— Bon, dit Molly. On va faire un essai. Mais ne me le fais pas regretter.

Elle prit la vieille laisse en cuir usé sur le comptoir de la cuisine et enfila son sac sur son épaule.

— Nous allons à la campagne, Copper. Tu vas peut-être te sauver et te perdre… Allons-y !

Dehors, elle abaissa le hayon de sa camionnette. Sans qu'elle le lui dise, Copper sauta sur le matelas à l'arrière. Il avait l'air heureux, excité, la queue en l'air.

— OK, lui dit-elle presque à regret. Mais souviens-toi mon pote, que ceci est un essai. Je t'ai à l'œil.

Tandis qu'elle conduisait vers le sud sur MoPac Avenue, elle regarda dans son rétroviseur pour voir ce que faisait Copper. Il se tenait sagement assis, la tête au vent, les yeux fermés. Quand elle entra dans Piney Haven, trois petits enfants jouaient derrière le bureau d'accueil. Molly observa le chien avec une certaine appréhension. Il pouvait aisément bondir hors de la fourgonnette et attaquer les gosses. Il n'en fit rien. Elle continua jusqu'à la caravane de Jack. Celui-ci était assis sur son fauteuil roulant sous le store vert et blanc. Il portait une chemise blanche fraîchement repassée, aux manches courtes, et des lunettes d'aviateur.

Molly descendit et regarda le chien d'un air dubitatif.

— Je m'excuse pour le chien, Jake… Je le garde pour un ami et je ne pouvais pas le laisser chez moi, alors…

Jack dirigea son fauteuil à l'arrière de la camionnette et examina le chien.

— Qu'est-ce qui t'es arrivé, bonhomme ? demanda-t-il à voix basse.

— Oh, son oreille ? Il est retraité de l'unité canine de la police d'Austin, dit Molly. Il s'est fait tabasser sévèrement avec un démonte-pneu. Il est un peu dingo…

Jake continuait à inspecter le chien.

— Eh bien, on le serait à moins, dit-il, plus au chien qu'à Molly.

Il s'approcha et avança sa main vers l'animal.

— Salut mon vieux,

Le chien se pencha et renifla sa main.

— Comment s'appelle-t-il ?

— Copper. Un raccourci pour Copperfield.

— Hé, Copper, tu es un bon chien !

Le chien avança la tête et Jake le gratta derrière sa bonne oreille.

— Êtes-vous prêt à partir ? demanda Molly.

Jake donna une dernière caresse au gros chien.

— Prêt, dit-il en roulant son fauteuil jusqu'à la porte du passager. Je peux me hisser à bord si vous m'aidez avec le fauteuil. C'est un peu plus dur dans un camion parce que c'est plus haut, mais le marchepied sera très utile.

Il ouvrit la portière et recula le fauteuil. Molly le rejoignit, un peu embarrassée, car elle se demandait comment procéder. Jake manœuvra son fauteuil contre le siège du passager.

— Tenez solidement le fauteuil pour qu'il ne bouge pas et

mettez-vous ici afin que je puisse m'appuyer sur vous s'il le faut.

Agrippant les accoudoirs de son fauteuil, il se souleva jusqu'à prendre appui sur ses moignons.

— OK, maintenant tenez bon.

Les veines de ses bras gonflaient sous l'effort qu'il faisait pour se transférer sur le marchepied. Ensuite, il se souleva péniblement sur le siège en s'appuyant sur ses deux mains. Molly se demanda comment il avait pu acquérir une telle force dans la partie supérieure de son corps.

— Ouf! dit-elle quand il fut installé sur le siège. Je crois que je ne pourrais jamais faire ça, même si ma vie était en jeu!

— Mais si, dit-il en la regardant. Manœuvrer un fauteuil roulant vous muscle les épaules et les bras. En plus, je pratique la musculation. Pour replier le fauteuil, vous refermez les bras... Oui, c'est ça. À présent, vous pouvez le ranger à l'arrière.

Molly prit une bâche sur le siège arrière et l'étendit sur le matelas. Ensuite, elle hissa avec difficulté le fauteuil à l'arrière. Quand elle s'installa derrière le volant, elle était en nage. Elle se tourna vers Jake qui venait de boucler sa ceinture.

— Quelle est la meilleure route à prendre? demanda-t-elle. La I-35?

— Ouais. Ensuite nous prendrons la sortie 79 Ouest en direction de Taylor.

Ils roulèrent en silence jusqu'à ce que Molly eût traversé la circulation du centre-ville. Quand ils furent engagés sur la I-35, en direction du nord, Jake dit :

— Parlez-moi du chien : comment a-t-il perdu son oreille?

— Ah, le chien... Eh bien, il a servi dans l'unité canine pendant huit ans, avec le même policier... Un samedi soir, le chien et son maître fouillaient un terrain vague dans l'Est Austin, à la poursuite d'un suspect qui avait participé au cambriolage d'un 7 *Eleven*. Copper traqua le suspect et deux de ses amis jusqu'à une cabane à outils où ils se cachaient. Les trois malfaiteurs tabassèrent le policier avec des barres de fer. Ils essayèrent d'en faire de même avec Copper mais celui-ci se défendit si farouchement que l'un d'eux faillit perdre son bras et que les deux autres s'en tirèrent avec de multiples points de suture. Copper perdit la moitié d'une oreille.

Molly connaissait l'histoire en détail, car Grady la lui avait maintes fois racontée. Elle continua :

— Les autres policiers arrivèrent et arrêtèrent les jeunes délinquants. Mais le chien devint fou quand ils tentèrent de s'approcher de son maître grièvement blessé. Il menaça également le médecin et les ambulanciers. Les policiers se préparaient à l'abattre quand l'un des infirmiers jeta une bâche sur le chien. Ainsi, ils purent le maîtriser. Son maître mourut dans la nuit, à la suite de ses blessures. Copper fut mis à la retraite avec les honneurs du département. Le règlement de la police veut que leurs chiens ne soient recueillis que par des familles de policiers. Mais personne ne voulait du chien fou. Alors mon ami Grady Traynor — qui n'aimait pas particulièrement les chiens — l'a recueilli. Grady est l'un des négociateurs dans la prise d'otages par Jezreel. Il m'a demandé avec insistance de prendre cette bête pendant quelques jours. C'est ainsi qu'elle se trouve dans ma camionnette.

Jake tourna la tête pour regarder Copper assis à l'arrière.

— Est-ce un si grave problème ?

— Non, si l'on se souvient de ne toucher personne en sa présence. Il panique si les gens s'embrassent. Il croit qu'il s'agit d'une agression et qu'il est de son devoir d'intervenir.

— Ça doit compliquer votre vie amoureuse.

— En effet, si j'en avais une.

— DPTDS, dit Jake.

— Quoi ?

— Désordre post-traumatique dû au stress… On dirait que c'est ce qu'il a… comme les vétérans du Viêt-nam.

Molly profita de la transition qu'il lui offrait.

— Vous m'avez promis de me parler des vœux de Walter Demming, dit-elle.

— Je vous ai dit ça ? Je tiendrai peut-être ma promesse, mais vous avez le don pour détourner la conversation de ce qui vous concerne personnellement… Avant, dites-moi ce que vous avez fait ce matin…

— OK, dit-elle en riant. J'ai rendu visite à la grand-mère de Samuel Mordecai, la femme qui l'a élevé.

— Comment est-elle ?

Molly réfléchit quelques secondes avant de répondre.

— Quand j'avais sept ans, j'ai assisté à une pièce de théâtre

131

à mon école primaire. La sorcière était si méchante et si vilaine qu'elle m'a donné des cauchemars pendant une année entière. Dorothy Huff me fait penser à elle.

— Oh Dieu ! Nous n'avons plus de criminels endurcis. On dirait qu'ils ont tous eu une enfance malheureuse… Je ne peux plus détester Samuel Mordecai !

— Vous pouvez encore le détester, dit Molly. Moi je le hais. J'ai seulement eu un aperçu de son éducation morbide. Maintenant, parlez-moi des vœux de Walter.

— OK. Il faut que vous compreniez que ces vœux ont été fait après la guerre du Viêt-nam. Pendant qu'il était avec moi à l'Hôpital des vétérans. Vous ne pouvez pas imaginer notre colère… (Il secoua la tête.) Personne ne peut l'imaginer.

— Contre qui étiez-vous en colère ?

— Oh, contre notre lieutenant qui était un crétin. Contre l'armée qui a tout bousillé. Contre les Viêts qui étaient plus courageux et plus durs que nous. Contre mon père qui m'a conté ses exploits durant la Seconde Guerre mondiale. Contre le service d'enrôlement de Milwaukee qui m'a envoyé là-bas, contre le peuple américain qui s'en foutait, contre le village de Trang Loi, contre le haut commandement militaire, contre Lyndon Johnson, Smokey the Bear et George Washington. Si je vous avais rencontrée à ce moment-là, j'aurais été fâché contre vous. Nous étions fous furieux contre tout.

— Vous avez raison — je suis incapable d'imaginer.

— Ouais. Eh bien Walter a fait quatre vœux. Je vous ai déjà dit qu'une vie humble en était un. Son idée était de ne jamais se faire remarquer ni de gagner suffisamment d'argent pour être repéré par le gouvernement.

— C'est pour cette raison qu'un homme sortant de Rice est conducteur de car scolaire ?

— En partie. Ça lui permet aussi d'avoir le temps de se consacrer à son vrai travail.

— Quel est ce travail ?

— Vous verrez quand nous serons arrivés.

— Et le deuxième vœu était de ne pas s'impliquer émotionnellement ? demanda Molly.

— Ouais. Ses petites amies n'avaient pas le droit de rester chez lui plus d'une nuit. Pas de gosses. Pas de responsabilités.

Le troisième vœu était de ne plus jamais porter un uniforme ni une cravate.

— Pour moi, dit Molly en riant, c'est de ne pas porter de collants ! Et le quatrième ?

— Oh, il a rompu cette promesse-là.

— Qu'est-ce que c'était ?

— Ne plus jamais se trouver en face du canon d'un fusil. Ça a sans doute été un moment terrible pour lui, d'avoir été cerné avec les enfants par ces fous armés.

— C'est ce qui lui est arrivé au Viêt-nam ?

Jake regarda au loin.

— Sans commentaires.

Quand ils quittèrent l'autoroute, Molly remarqua :

— Nous allons dépasser la route qui mène à Jezreel. C'est ici, sur la gauche.

— Ouais, je sais. Trois kilomètres jusqu'à l'enfer…

Ils virent en passant le chemin vicinal 128. Molly avait pris cette route une fois, deux ans auparavant, pour interviewer Samuel Mordecai au camp de Jezreel. Ses souvenirs et les images des médias avaient depuis inscrit dans sa mémoire la configuration distinctive de l'enceinte. Elle aurait pu la reproduire en dormant — le carré central en bois, une construction bon marché, flanquée de chaque côté par deux tours en pierre, crénelées et percées d'étroites ouvertures par où l'on pouvait tirer au fusil-mitrailleur. Ça ressemblait à la version texane d'un château médiéval. Molly savait qu'en suivant le chemin, ils tomberaient sur le campement des journalistes, sur des tanks et des véhicules militaires et sur une armée d'agents fédéraux en armes et de troupes locales, tous en attente, sur le lieu qu'ils occupaient depuis six semaines.

— Êtes-vous allée là-bas ? demanda Jake.

— Pas depuis que j'ai interviewé Mordecai il y a deux ans.

— Comment se fait-il ? Puisque que vous faites un reportage sur eux ?

— J'en vois assez tous les jours à la télévision.

— Ce n'est pas la même chose que de voir vous-même.

— On dirait que vous avez envie d'y aller…

— Peut-être. Pour voir à quoi ça ressemble. Ouais. Si vous y allez, est-ce que je peux vous accompagner ?

— Il ne faut pas trop y compter…

Un chemin en gravier menait à la petite maison délabrée de Walter Demming, au crépi verdâtre et abîmé, aux montants de fenêtres gauchis. Des glycines grimpaient sur l'un des murs et envahissaient le toit. Derrière la maison s'étendait un pré entier de fleurs des champs — les jacinthes communes du Texas et des fleurs sauvages appelées « pinceaux indiens ». Au centre poussait une masse de coquelicots du Texas — d'énormes fleurs blanches au bout de longues tiges.

— Comme c'est beau ! s'exclama Molly.

— Ouais, j'aime venir ici, dit Jake en détachant sa ceinture.

Il désigna un barbecue en pierre sur la terrasse devant la maison.

— Walter et moi l'avons construit avec la roche que nous avons trouvée tout autour.

Molly admira le travail de sculpture des pierres, qui semblaient s'intégrer naturellement à la pierre de la terrasse.

Jake montra du doigt une grande maison blanche à l'autre extrémité du pré.

— C'est la maison de Theodora Shea, le véritable amour de Walter. Elle fait le meilleur gâteau au chocolat du continent américain !

Molly sauta à terre et ouvrit le hayon. Copper bondit dehors et se mit à renifler par terre comme le ferait n'importe quel chien à la campagne.

Molly sortit le fauteuil roulant et l'assembla en suivant les directives de Jake. Elle le maintint fermement pendant qu'il s'installait. Après avoir repris son souffle, Jake roula vers la maison.

Molly n'avait pas remarqué la rampe pour handicapés qui longeait les marches jusqu'à la porte. Jake la grimpa sans effort.

— Walter et moi avons fait cette rampe aussi.

Il sortit une clé de sa poche, ouvrit la porte et s'écarta pour laisser passer Molly.

La maison consistait en une grande pièce ensoleillée avec un lit dans un coin et une petite cuisine dans l'autre. Le reste de la maison était l'atelier d'un artiste.

Au centre de la pièce, une grande table en bois était couverte de pots remplis de pinceaux, de bouteilles, de tubes de peinture et de crayons de couleurs — le tout rangé avec soin. Sur deux des murs et sur trois chevalets, on pouvait admirer des tableaux plus ou moins terminés. La plupart représentaient des oiseaux tropicaux aux couleurs vives.

— Ces temps derniers, dit Jake, il s'est mis à faire des oiseaux, aux crayons de couleurs…

Molly se tenait au milieu de la pièce, essayant de capter l'atmosphère de la vie de Walter Demming. Elle aimait visiter les lieux de travail des artistes. Souvent, elle visitait les bureaux des écrivains, car ils lui semblaient plus révélateurs que le reste de leur maison. Parfois, il lui semblait que le simple fait de se trouver sur le lieu de travail d'un artiste dont elle admirait l'œuvre lui communiquerait, comme par magie, un peu de son énergie créatrice. Ça pouvait sembler fou, mais elle éprouvait ce sentiment pendant qu'elle regardait les dessins de Demming.

Elle fit lentement le tour de la pièce en étudiant les portraits des oiseaux. Ceux-ci étaient reproduits en gros plans et sous des angles inhabituels. On apercevait par exemple, un fragment d'oiseau, comme s'il volait à travers le cadre. Ils étaient dessinés sur du papier blanc, au grain épais, avec des crayons de couleurs vives. Des hachures croisées de couleurs rendaient l'aspect des plumes.

Molly n'avait jamais observé auparavant une individualité chez les oiseaux. Ici, chacun d'entre eux avait un trait distinctif. Elle aurait pu les reconnaître parmi d'autres. Les détails précis de leur tête et de leur plumage semblaient révéler que l'artiste les connaissait intimement.

Walter Demming avait un style caractéristique. À en juger par la profusion de ses œuvres, il était très productif. Molly eut l'impression d'un homme qui se laissait envahir par le tourbillon des forces de la nature qui se manifestaient jusqu'au bout de ses doigts. Comment un homme pareil pourrait-il supporter la captivité? songea-t-elle. Comment s'exprimerait toute son énergie?

Molly s'arrêta devant l'un des chevalets. Elle découvrit le portrait inachevé, en diagonale sur le papier blanc, d'un vautour gypaète. L'oiseau de proie apparaissait de profil, de l'aile à la tête. L'aile et la poitrine étaient formées de hachures croisées dans les tons de brun, de noir, de jaune et de rouge qui brillaient comme de l'acajou. La tête et le cou, rouges, étaient nus, parsemés de quelques longs poils noirs piquants et agressifs. L'énorme bec crochu était translucide.

Molly fut choquée de reconnaître dans le portrait une ressemblance frappante avec Jake Alesky. Pourquoi n'avait-elle pas remarqué dès leur première rencontre qu'il ressemblait à un vautour ? Elle jeta un regard en coin à l'homme assis dans son fauteuil à l'autre bout de la pièce. Était-il conscient de la ressemblance ?

Jake contemplait le dessin achevé d'un cacatoès blanc, au plumage gonflé, à l'air autoritaire, surmonté d'une huppe de plumes jaunes. Les yeux fixés sur le dessin, il déclara :

— C'est Theodora tout craché. Je me demande si elle l'a vu. Si elle se reconnaît, elle sera folle de rage…

Il fit pivoter son fauteuil dans la direction de Molly.

— Alors, que pensez-vous du travail de Walter ?

— Je l'aime beaucoup. Vraiment beaucoup.

— Il est devenu très bon. Il a toujours dessiné… même là-bas au Viêt-nam… Ces dernières années, je suppose qu'il a trouvé son style… ou ce qu'un artiste finit par trouver. Il pourrait gagner de l'argent s'il suivait le programme.

— Quel programme ?

— Ah, Théodora a beaucoup d'idées sur la façon de vendre ses tableaux. Elle en a fait accrocher au café du carrefour, près de l'intersection de la 128. De temps en temps, un client en achète. Elle pense aussi qu'elle peut lui trouver une exposition à Austin.

— Comment croyez-vous qu'il supporte la captivité ?

Jake fit demi-tour et contempla le champ de fleurs sauvages.

— Il la hait. Il déteste les entraves à sa liberté, plus que quiconque. Il déteste les oppresseurs. Il déteste la religion. Il déteste les armes à feu.

— Et les enfants ? demanda Molly.

— Je ne pense pas qu'il déteste les enfants, dit Jake avec un sourire, mais que je sache, il ne les aime pas particulièrement non plus… En dehors de ces quelques mois de ramassage scolaire, il n'a pas eu beaucoup de contact avec les enfants.

— Garderait-il la tête froide dans une situation de crise ?

— La tête froide ?

Jake rougit jusqu'au cou, les lèvres crispées.

— En d'autres termes, vous demandez si Walter est « cool » ? Voyons si ce que je vais vous raconter correspond à votre idée de ce qui est cool. Un homme couché dans la boue, sur la berge d'une rivière empestée, entouré de sept cadavres ensanglantés, fait semblant d'être mort, pendant que les Viêts circulent tout autour pour vérifier leurs œuvres. À côté de lui, Greg Mets a les deux oreilles coupées par une baïonnette. Le Viêt les enfile sur un collier formé d'éléments similaires. Puis il se tient debout au-dessus de Walter et observe ses oreilles. Il en pique une du bout de sa baïonnette. Ensuite, il passe à côté, à ce qui reste de Junior Carlyle, étendu à la gauche de Walter. Le Viêt se penche et coupe les oreilles de Junior.

Jake continuait à fixer son regard sur les fleurs des champs. Sa voix n'exprimait pas la moindre émotion.

— Je n'ai pas eu le temps de me demander, à ce moment-là, ce que les oreilles de Walter avaient de répulsif... J'ai eu le temps de me poser la question depuis. Walter avait de petites oreilles, pratiquement sans lobe, collées à son crâne. C'était peut-être à cause de ça... Mais je crois que c'était plutôt à cause de sa couleur. Meeks et Carlyle étaient noirs. Je crois que ce Viêt se spécialisait en oreilles noires. Tandis qu'il ajoutait des oreilles à sa collection, Walter ne bronchait pas, la bouche et les yeux pleins de boue. Il ne gémissait pas, ne sursautait pas, ne respirait pas. Est-ce que Walter a la tête froide ? me demandez-vous... Madame, la température de cet homme-là est au-dessous de zéro...

— Qu'est-il arrivé ensuite ? demanda Molly au bout d'un moment.

— Ensuite, c'était la fin du monde. Ce cinglé de Mordecai dit que ça va arriver vendredi. Je sais que ce n'est pas vrai. Le monde s'est arrêté le 2 septembre 1968. L'incident des oreilles n'était qu'un frémissement de la terre, un avertissement...

Jake fit pivoter son fauteuil roulant.

— De toute façon, c'est de l'histoire ancienne... Ce n'est pas un sujet de conversation par ce beau jour de printemps... Allons voir Theodora. Elle me donne toujours l'impression que le monde a un sens.

Il avança jusqu'à la porte.

137

— Nous irons par la route. C'est plus court à travers champs et je peux y passer avec mon fauteuil, mais c'est plus dur.

Ils descendirent la rampe. Jake alla devant, suivant la route jusqu'au chemin qui menait à la maison de Theodora. Sur les marches du porche, de gros pots de géraniums étaient installés. Un grand golden retriever à la tête blanchie dormait, les pattes pendant sur la plus haute marche.

Du côté de la maison s'élança en jappant un épagneul blanc et brun. Il s'immobilisa brusquement en fixant un point derrière Molly. Elle se retourna et constata avec surprise que Copper les avait suivis. Le molosse montrait les dents, le poil hérissé. L'épagneul fit demi-tour et courut se réfugier derrière la maison.

— Il a sans doute raison, dit Jake.

Le chien couché sur le porche n'avait même pas ouvert un œil.

Molly regarda Copper approcher, les pattes raides, un grondement sourd s'élevant de sa gorge. Elle s'avança pour saisir le chien par son collier.

— Oh, mon Dieu ! J'ai oublié sa laisse dans la camionnette.

Jake leva la main.

— Laissez... Ça va aller.

Molly resta figée sur place, à contrecœur. Lorsque Copper grimpa la première marche en grognant, le vieux chien ouvrit un œil, puis l'autre. Quand Copper arriva presque en haut des marches, le golden retriever roula lentement sur le dos en lui présentant son ventre et son poitrail, les pattes en l'air. Copper s'immobilisa et cessa de grogner. Les poils du dos retombés, il s'approcha et renifla la queue et le ventre du vieux chien.

Fascinée par la performance, Molly n'avait pas remarqué l'apparition d'une femme sur le seuil de la porte. Elle se tenait immobile, regardant les chiens en souriant. Puis elle dit :

— Maggie pourrait nous en apprendre des choses... La non-violence, ça marche quelquefois... Salut Jake Alesky ! Vous m'avez manqué, cher cœur.

Elle descendit rapidement les marches et se pencha pour embrasser Jake. Un grognement menaçant provenant du porche la fit se redresser. Copper descendait vers elle.

— Oh, mon Dieu ! dit Theodora.

Rouge de confusion, Molly se précipita et attrapa Copper par son collier. Sa main tremblait mais elle réussit à le retenir. Elle ordonna d'une voix ferme :

— Non, Copper ! Assis !

Elle fut soulagée de le voir obéir.

— Je suis désolée, dit-elle à Theodora. Ce n'est pas mon chien. Il est perturbé quand il y a un contact physique entre les gens. C'est un chien policier à la retraite, un peu dingue. Je suis désolée.

— Theodora, dit Jake, voici Molly Cates. Elle travaille pour le *Lone Star Monthly*. Elle écrit un papier sur le problème à Jezreel. Je lui ai parlé de Walter. Molly, voici Theodora Shea.

Molly avait peur de lâcher le collier de Copper. Elle salua Theodora de la main gauche.

— Enchantée de faire votre connaissance, madame Shea.

Theodora Shea avait sans doute soixante-dix ans mais sa peau, sous la poudre blanche, n'avait pas une ride. Elle était rondelette et portait une ample robe mexicaine. Ses cheveux blancs étaient balayés de mèches jaunes, indociles. Son nez proéminent se recourbait légèrement... Un bec de perroquet. La ressemblance fit sourire Molly.

— Molly, voulez-vous m'aider à descendre deux chaises du porche pour que nous puissions nous asseoir et bavarder un peu ?

Molly regarda Copper qui paraissait calmé. Elle lâcha son collier. Ensuite, elle prit sur le porche deux chaises en osier et les déposa en bas des marches, de chaque côté du fauteuil de Jake.

Jake et Molly eurent beau décliner l'offre de rafraîchissements proposés par la maîtresse de maison, Theodora s'absenta et revint, au bout de quelques minutes, avec un plateau sur lequel se trouvaient trois verres de limonade et trois énormes tranches de gâteau au chocolat. Elle posa le plateau sur la dernière marche en lançant un regard sévère aux chiens.

— Depuis que Walter est parti et que le groupe de poésie ne se réunit plus, j'ai un trop-plein de gâteau... Vous, jeunes gens, vous allez m'aider à en disposer.

Theodora tendit les verres glacés à Molly et à Jake. Molly refusa le gâteau. Mais Jake prit l'assiette et la posa devant lui.

Theodora s'assit finalement et dit :

— Nous devons faire quelque chose. Deux agents du FBI sont venus me voir la deuxième semaine. Je leur ai dit ce que je pensais de ce fou dangereux retranché à Jezreel. Toutes leurs palabres ne vont aboutir à rien.

Elle but une gorgée de limonade.

Molly remarqua combien le gâteau semblait riche et onctueux tandis que la fourchette de Jake faisait le va-et-vient entre son assiette et sa bouche.

— C'est de la crème fouettée entre les couches de chocolat ? demanda-t-elle.

— Oui, répondit Theodora.

Elle prit une part de gâteau sur le plateau et tendit l'assiette à Molly.

— Il faut canarder ce monstre et faire entrer l'équipe d'assaut par surprise avant qu'ils n'aient le temps de tuer les otages. Je suis certaine que Walter serait d'accord.

— Ils ne peuvent pas canarder Mordecai, dit Molly, la bouche pleine. Il ne se montre jamais, il ne passe jamais devant une fenêtre non protégée.

Theodora regarda longuement et attentivement Molly.

— Comment savez-vous ça ?

— Grady, mon ex-mari, est un flic d'Austin qui fait partie de l'équipe des négociateurs.

Theodora passa sa main dans sa blanche chevelure bouffante.

— Bien. Je savais que vous ne l'aviez pas appris par les nouvelles car je regarde et je lis tout ce qu'on dit sur Jezreel. S'ils pouvaient le canarder, le feraient-ils ?

— C'est délicat. Mordecai n'a pas de casier judiciaire. Il n'a tué personne jusqu'à présent. De toute façon, ce n'est pas le propos puisqu'il se cache.

— Quelle stratégie votre ex-mari propose-t-il d'adopter avec ses collègues ?

— Ils sont en train de réévaluer la situation, dit Molly.

— Oh, voyons ! dit Theodora. Vous êtes avec des amis. Oubliez la langue de bois !

Molly sourit.

— OK… Chaque fois qu'ils parlent à Mordecai, il leur rappelle qu'il fera exécuter les otages dès que quelqu'un mettra les pieds dans son enceinte. C'est pourquoi ils n'ont pas encore donné l'assaut. Mais, si l'on se réfère au plan de Mordecai, nous n'avons plus que trois jours devant nous. Grady pense que l'opération Assaut haute sécurité va être déclenchée, ou bien l'Hostage Rescue Team[1], l'HRT, comme l'appellent les Fédéraux, interviendra. Il considère que c'est la solution extrême à cause du risque important encouru par les otages, mais les négociations sont arrivées à un point mort. Le problème crucial du HRT est qu'ils n'ont pas la moindre idée de l'endroit où sont cachés les otages sur ces six hectares de terrain.

— C'est un gros problème, en effet, dit Theodora.

Jake restait silencieux. Il avait fini son gâteau et ramassait les miettes avec sa fourchette.

Theodora remarqua son assiette vide. Elle se pencha vers lui, la prit et lui donna une autre tranche de gâteau.

— Ah! Cette attente est insupportable, dit-elle. Ça ne vous donne pas envie de foncer dans le tas et de les massacrer?

— Non, dit Molly. Moi, ça me donne envie de courir me cacher en attendant que ça soit fini.

— Moi aussi, dit Jake.

— Vous dites que les négociateurs sont découragés. Je vous crois. À la télé, ce Patrick Lattimore semble proche de la dépression nerveuse. On dirait qu'il abandonne.

— Ils sont désespérés.

— Si cet ami à vous arrive à parler avec Walter, dit Theodora, je voudrais envoyer un message à Walter. Demandez à votre ex-mari de lui transmettre mon amitié et de lui dire combien il nous manque au groupe de poésie. Nous n'avons rien fait depuis son absence. Je voudrais qu'il sache que nous l'attendons.

— Un groupe de poésie? demanda Molly.

— Nous avons formé entre nous un petit cercle qui aime la poésie. Ces derniers mois, nous avons lu Emily Dickinson. Oh, comme j'aimerais pouvoir envoyer maintenant les œuvres complètes d'Emily Dickinson. Il adore apprendre les poèmes par cœur. Durant les moments difficiles, c'est tellement réconfortant d'avoir ces poésies en mémoire quand on en a besoin.

— Quand on en a *besoin*? dit Molly.

1. Brigade d'intervention pour la libération des otages.

— Oui. Je crains qu'il en manque en ce moment et qu'il ait besoin de se fortifier… Vous ne lisez pas la poésie ?

— Presque jamais, reconnut Molly. J'aimerais en connaître un peu plus mais je ne peux imaginer en avoir besoin ! Et Emily Dickinson ! J'ai un mauvais souvenir d'une anthologie de ses poèmes au lycée : *Une frégate ne vaut pas un livre*.

— La manière dont on enseigne la poésie à l'école est vraiment lamentable — surtout pour Dickinson. Elle a pourtant beaucoup à apprendre à ces jeunes gens aliénés. Elle est très accessible. J'ai enseigné la littérature pendant trente ans avant ma retraite, et je m'attriste à l'idée que les professeurs qui enseignent la poésie disparaissent les uns après les autres. J'ai souvent cette vision qu'un jour, l'un d'entre nous, sortant de la bibliothèque avec un livre sous le bras, s'effondre dans la rue, et ce sera le dernier de notre espèce et personne n'en saura rien ni n'ira pleurer sur sa tombe.

Molly jeta un coup d'œil sur le porche. La chienne était allongée à la même place, Copper étendu près d'elle, sa tête reposant contre son flanc.

— On dirait qu'ils s'entendent bien, n'est-ce pas ? dit Theodora. Maggie se fait facilement des amis.

— Je n'ai jamais vu Maggie faire autre chose que se coucher là en haut des marches, les yeux fermés, dit Jake.

Theodora dit en riant :

— C'est peut-être un bon moyen de se faire des amis — leur faire une place sur son porche…

Jake tendit à Theodora son assiette vide. Il ne restait pas une miette du gâteau.

— Merci. C'était délicieux, comme d'habitude. Pouvez-vous continuer à surveiller la maison ?

— Bien sûr. Pas de problème. Ne vous faites pas de souci, Jake.

Elle s'adressa à Molly.

— Attendez une minute… J'aimerais vous donner quelque chose…

Elle escalada rapidement les marches et revint quelques minutes plus tard avec un paquet enveloppé dans de l'aluminium et un gros livre. Elle donna le paquet à Jake.

— Vous me faites plaisir en me débarrassant de mon gâteau, dit-elle.

Elle tendit le livre à Molly. C'était les *Œuvres complètes d'Emily Dickinson.*

— Je vous serais très reconnaissante de le remettre à votre ami négociateur, au cas où il aurait l'occasion de le faire parvenir à Walter. Vous ferez ça pour moi, Molly, s'il vous plaît ?

Molly s'efforça de réprimer un mouvement d'impatience, en pensant à la réaction de Grady. C'était absurde. Dans la hiérarchie des nécessités qu'elle voudrait transmettre aux otages, le livre de poèmes d'une vieille fille refoulée de la Nouvelle-Angleterre était bien la dernière chose à figurer sur sa liste. Il valait mieux leur donner le gâteau au chocolat.

— Bien sûr, dit Molly à Theodora Shea en fourrant le livre dans son sac.

10

Et je vis : c'était un cheval blême.
Celui qui le montait on le nomme la Mort, et l'Hadès le suivait.
Pouvoir leur fut donné sur un quart de la Terre,
Pour tuer par l'épée, la famine, la mort et les fauves
de la Terre.

Apocalypse 6 : 8.

— MA MÈRE ne fait pas la cuisine, dit Heather. Nous emportons les repas à la maison, de chez McDonald's ou quelquefois du restaurant chinois du coin.

Tandis qu'elle prononçait le mot « chinois », son visage s'illumina comme si ce mot l'avait remplie d'un bonheur succulent. Walter saliva à son tour. Pendant un instant, il savoura et sentit l'odeur du poulet à l'ail de China Sea où Jake et lui allaient chercher leurs repas qu'ils dégustaient sur la véranda de Jake en les arrosant généreusement de grands bocks de bière.

— J'adore la cuisine chinoise, dit Sandra, qui ne fit plus semblant de ne pas écouter. Riz cantonais, nems, porc à la sauce sucrée... Il y a un traiteur tout près de chez nous qui livre.

— Ma mère fait vraiment bien la cuisine, dit Hector. Les meilleurs tamales. Les *meilleurs*. Tout le monde le dit. Ils sont tellement bons qu'elle les vend — à l'église, par centaines, et on récolte beaucoup d'argent pour les pauvres. Si je pouvais avoir quelque chose tout de suite — à part un fusil-mitrailleur Uzi —, ça serait un grand plat de tamales de ma maman. Quand nous sortirons d'ici, ma mère fera une fête pour nous et nous nous bourrerons de tamales... tant que nous en voudrons.

— Mon père fait la cuisine, dit Josh. Et je l'aide. Nous avons deux éplucheurs de pommes de terre. Nous laissons un tout petit peu de peau parce que mon père dit que ça les rend plus intéressantes. Nous y ajoutons plein de lait et de beurre après que nous avons fini de les écraser. Tu ne pourrais plus jamais manger la purée en flocons que tu aimes, Kim.

— Tu peux aussi ajouter du beurre dans la purée en flocons, Josh, dit Kim. Et du sel… Ça a très bon goût et ce n'est pas grumeleux.

— Ce que j'aime encore mieux que la purée de pommes de terre, dit Josh, c'est le pain frais. Mon père a eu une machine à faire le pain pour Noël. Donc, nous faisons notre pain et nous le coupons en tranches quand il est encore chaud — on n'est pas censé le faire, normalement — et nous mettons dessus du beurre et du sucre… Ça sent si bon, meilleur que tout au monde !

Un silence respectueux et affamé s'ensuivit.

Walter sentit son estomac se contracter de désir. Si jamais ils sortaient vivants de ce maudit car, la première chose qu'il préparerait serait du pain. Il en ferait des tartines chaudes au beurre et au sucre. Il jeta un regard circulaire sur les enfants et songea que si l'on pouvait lire dans leurs pensées on y trouverait des illustrations délicieuses pour un livre de cuisine.

— Je suis sûre d'une chose, dit Sandra d'une voix douce, je ne toucherai plus jamais aux céréales.

— Moi non plus, dit Conrad.

Walter regarda sa montre. Il était préoccupé par le coup de téléphone, tout à l'heure. Si seulement il savait ce qui se passait en surface. Martin parlait des négociateurs comme s'ils faisaient partie de leur vie quotidienne. Il y avait peut-être eu de longues discussions durant ces journées interminables. Son seul contact avec les négociateurs avait été les trente secondes de conversation qu'il avait eu le deuxième jour. Si l'on pouvait appeler ça une conversation… Walter avait lu sous la menace d'un revolver une déclaration que lui avait tendue Mordecai : *Je m'appelle Walter Demming. Les onze enfants sont en sécurité avec moi. Nous sommes pris en charge. Samuel Mordecai est le responsable, ici. Il a un important message à transmettre au monde…*

Une voix sur la ligne l'avait interrompu :

— Monsieur Demming, je suis Andrew Stern du FBI. Nous faisons tout ce qui est en notre pouvoir pour obtenir votre libération. Notre principal objectif est votre sécurité et celle des enfants. Que pouvons-nous…

À ce moment, Mordecai s'était emparé du téléphone et Walter avait été entraîné vers la grange par le couloir en bois.

Ensuite, les jezreelites avaient retiré la planche et l'avaient poussé dans la fosse qui jouxtait le car enterré. C'était la seule fois en quarante-huit jours qu'il était monté à la surface de la terre. La seule fois qu'il avait entendu une voix de l'extérieur.

Le FBI devait se rendre compte à présent que Mordecai n'allait pas négocier. L'homme avait son plan qui n'incluait pas leur libération. Walter se souvint vaguement d'autres prises d'otages, en Californie et en Utah, et surtout de l'échec tragique de Waco. Que pouvaient donc espérer les négociateurs ?

Walter était resté éveillé toute la nuit à réfléchir sur la capacité des négociateurs à comprendre le message qu'il tenterait de leur faire passer. Il leur communiquerait, à mots couverts, qu'ils devaient donner l'assaut, qu'il assurerait la sécurité des enfants aussi longtemps qu'il le faudrait. Mais ça ne marcherait que si les gens à qui le message était destiné avaient suffisamment d'imagination créatrice, que s'ils prenaient la peine de parler à ses amis — Jake et Theodora. Ils trouveraient sûrement Jake. Mais Theodora ? Il en était moins sûr.

— Est-ce que ça va, monsieur Demming ? demanda Kim.

— Oui. Je suis seulement préoccupé en pensant au coup de téléphone. J'ai besoin d'un peu de concentration pour me préparer. Je veux transmettre vos messages le mieux possible.

— Monsieur Demming, s'écria Conrad, je voudrais changer mon message. Est-ce que je peux y ajouter quelque chose ?

— Non. Souviens-toi que nous l'avons minuté. Une minute... Tu peux uniquement le changer s'il garde la même longueur.

— Oh, tant pis alors… Je pensais seulement — quand nous avons parlé de nourriture — au foie de veau grillé que ma mère…

— Foie de veau ! s'exclama Sandra avec une grimace. Berk !

Dix minutes plus tard, comme Walter relisait pour la centième fois les douze messages, la planche en bois glissa de côté. Tous les yeux se fixèrent sur la fosse.

— C'est l'heure !

Martin apparut, la tête en bas, près de l'ampoule à la porte du car.

— Venez, monsieur le conducteur ! Je vous aide à monter.

— OK.

Walter se leva et plia soigneusement son papier qu'il mit dans la poche de sa chemise. Il jeta un coup d'œil sur le quatrième siège vide où il avait dissimulé le couteau dans une fente du tissu, bien enfoncé dans le rembourrage.

— J'arrive tout de suite, cria Walter.

Il regarda les enfants massés autour de lui.

Hector s'approcha et lui donna une tape amicale sur la poitrine.

— Bonne chance, mec.

Se dressant sur la pointe des pieds, il chuchota dans l'oreille de Walter :

— Ça va marcher, j'en suis sûr. Les gens du FBI sont très malins. Je les ai vus dans ce film, *Le Silence des agneaux*... Ils vont piger.

Walter essaya de sourire. Ce qu'il avait l'intention de dire lui sembla tout à coup ridicule. Il risquait gros pour un projet qui lui parut impossible à réaliser, aussi éphémère qu'un rayon de lune.

Tandis qu'il remontait l'allée centrale vers la porte, chacun des enfants tendit la main pour le toucher au passage. Tous, sauf Philip. Walter s'arrêta et prit chaque petite main dans les siennes, en la serrant fort. C'était comme s'il recevait de chacun d'entre eux un élan de confiance et de force. En pénétrant dans la fosse, il eut l'impression que tout était possible.

11

Chaque fois qu'un nouveau prophète est le point de mire du public, nous le cataloguons avec dédain comme un excentrique violent qui émerge d'une frange de lunatiques pour une brève apparition. Pourtant, ces fous religieux font partie d'une longue tradition dans l'histoire des États-Unis. Ils ne répondent pas à une aberration ou à un mécontentement momentanés, mais à une douleur et à une aliénation persistantes en Amérique, qui se manifestent par le désir d'adhérer à une communauté religieuse sous la houlette d'un patriarche à l'antique.

Molly CATES, « La culture des sectes au Texas »,
Lone Star Monthly, décembre 1993.

IL APPELA juste après minuit.

— Comment va mon chien ?

Molly s'était endormie à peine une heure plus tôt. Elle se retourna et regarda, à la lumière de la veilleuse, la grande masse sombre au pied de son lit. Tout à l'heure, elle avait laissé le chien dans le couloir et elle avait refermé la porte de sa chambre, mais il faisait un tel raffut en pleurnichant et en grattant à la porte qu'elle avait finalement cédé et l'avait laissé entrer.

— Au moins, il ne sent pas mauvais, dit Molly, la voix enrouée de sommeil.

Elle tapota la tête du chien.

— J'espère qu'il n'a pas de puces.

— Copper ? Jamais de la vie.

— Nous avons été à la campagne. Il s'est fait une amie. Une vieille golden retriever, un peu sénile… Mais il a failli la tuer pour commencer.

— Ah ! dit Grady. Tu a créé des liens avec lui. Je le sens.

Molly s'assit et s'appuya contre le dosseret du lit.

— Tu as trouvé quelque chose ?

— On dirait que tu es encore endormie. Qu'est-ce que tu portes ?

148

— Ah, c'est un de ces coups de téléphone…

— Euh, euh… Qu'est-ce que tu portes ?

— Chanel n° 5 et la radio !

— Je crois que je vais venir voir mon chien.

— Viens, mais dis-moi d'abord ce que tu as trouvé.

— Des tonnes de poussière, des insectes, quelques araignées — tu sais ce que je ressens vis-à-vis des araignées — berk !

— Allons, Grady ! Ne joue pas avec moi !

— Molly, je dois dire que ton cerveau fonctionne bien…

Le cœur de Molly battit plus vite.

— L'officier qui a fait le rapport sur le nouveau-né le 3 août 1962 était l'agent de police Oscar Mendez. Il a pris sa retraite en 78 et il est mort en 79.

Molly était déçue.

— C'est ça un cerveau qui fonctionne ?

— Attends, dit Grady. Le joggeur qui a trouvé le bébé et qui a appelé la police était un certain Jerry Brinker, qui vivait avec sa sœur à Westlake Hills.

— Qui vivait ?

— Ouais. J'ai retrouvé la sœur. Jerry est mort l'année dernière d'une crise cardiaque en faisant du jogging.

— Oh, zut !

— N'oublie pas que tu parles à l'un des enquêteurs les plus infatigables de la police d'Austin… Avec un ordinateur et un téléphone, je peux faire beaucoup de choses. Tu te souviens qu'un témoin a vu Jerry trouver le bébé. Il s'appelle Hank Hanley.

— Au présent ?

— Oui, m'dame. À cette époque, c'était un sans-abri de vingt ans qui vivait le long de Waller Creek. Et devine ?

— Devine quoi ?

— Hank est maintenant un sans-abri de cinquante-trois ans qui vit le long de Waller Creek. Quelquefois, il s'abrite à l'Armée du Salut, quand le temps est très mauvais. Il y prend souvent ses repas.

— A-t-il un casier judiciaire ?

— Oui. Les délits habituels — dix-sept arrestations pour ivresse publique et neuf pour entrée illicite. Pas trop mal, pour un ivrogne avec une si longue carrière. Mais il a été arrêté trois fois pour voyeurisme.

— Comment l'as-tu retrouvé?

— Une combinaison de haute technologie et d'adresse policière innée.

— Oh, Grady, je t'aime!

— Parce que je suis un détective génial?

— Oui. Et parce que tu sais réparer les WC...

— Tu vois, je suis utile dans la maison.

— Tu l'es, en effet.

— Tu pourrais m'avoir à ta disposition vingt-quatre heures par jour...

— Comme un gardien à domicile?

— Gardien, homme à tout faire, flic, amant, masseur — tout ce que tu veux.

— C'est tentant. Nous en parlerons un jour.

— OK. Molly... Veux-tu t'occuper de Hank Hanley? Ou est-ce que je vais le réveiller maintenant, le secouer un peu?

Molly alluma la lampe afin de réfléchir plus clairement.

— Il saura que tu es un flic et il pourrait se fermer comme une huître. C'est délicat. Je crois que c'est à moi de l'entreprendre. C'est la première chose que je ferai demain matin. J'espère que les cellules de son cerveau ne sont pas complètement bousillées par l'alcool... Viens me raconter comment tu as réussi ce miracle. Apporte des croquettes pour nourrir la bête avant de retourner à Jezreel demain matin.

— J'arrive!

Au petit matin, Molly demanda :

— Des nouvelles de Jezreel?

— Rien. Il reste seulement deux jours d'après l'agenda de Mordecai. À propos, connais-tu le sens du mot Jezreel dans la Bible?

— Tu fais allusion à la grande vallée de Jezreel où se tiendra la grande bataille de l'Armageddon d'après le Livre de l'Apocalypse? Avec deux cents millions de cavaliers? D'antiques serpents et des locustes géantes qui piquent mortellement comme les scorpions? Là où un tiers de l'humanité est détruit? Où des rivières de sang coulent à hauteur des brides des chevaux?

— Molly, tu as lu la Bible!

— C'est plutôt terrifiant, l'Apocalypse… La fin du monde dirigée par Oliver Stone… Je suppose que Mordecai a choisi de s'installer à Jezreel, Texas, parce qu'il s'attend à ce qu'une grande bataille s'y déroule.

— J'ai bien peur qu'il n'y ait une bataille, dit Grady en partant.

Molly se cacha le visage dans son oreiller.

Elle essaya de se rendormir. Il n'était que 5 heures et demie, mais Grady avait mis le chien dehors après lui avoir donné à manger et l'animal aboyait avec insistance. Elle se leva pour le laisser entrer. Elle se recoucha en songeant à Hank Hanley à qui personne ne pensait jamais.

La journaliste n'avait jamais visité le foyer de l'Armée du Salut. C'était une grosse bâtisse neuve, en briques rouges, avec d'étroites fenêtres. On pouvait lire sur la plaque en cuivre fixée à la porte : *Dédié en 1987 à la gloire de Dieu et au service de l'humanité.*

Molly se souvint qu'il avait fallu dix ans de discussions acerbes sur l'emplacement avant que Dieu et l'humanité soient servis dans ce quartier déshérité. Tout le monde, dans cette ville cossue et libérale, croyait fermement en la cause de l'Armée du Salut, mais personne n'en voulait comme voisine.

Au bureau d'accueil, un jeune homme regardait une télévision portable. Sur l'écran, Molly reconnut l'aspect trop familier de l'enceinte des jezreelites en arrière-plan, tandis qu'un reporter local parlait en gros plan.

Molly dut élever la voix pour attirer l'attention du réceptionniste. Quand il se détourna à contrecœur de l'écran, Molly demanda :

— Il y a du nouveau là-bas ?

— Non, m'dame. Il baissa le son. Vous savez ce que je pense qu'il faut faire ?

Molly avait entendu des centaines de suggestions sur le sujet durant ces derniers quarante-huit jours. Observant la coupe mode du garçon et son menton pugnace, elle s'attendit à un énième plan d'attaque.

— Non, quoi ?

— Je pense que nous devrions y envoyer un cheval de Troie.

151

Il montra à Molly le livre de poche qu'il lisait. *L'Iliade*.

— Avec un commando d'assaut à l'intérieur ?

— Non. Des anges. En réalité ça serait le FBI, ou la force Delta, ou un commando israélien, mais ils seront déguisés en anges pour que ce Mordecai croie qu'ils sont venus se joindre à lui pour la bataille d'Armageddon. Sous leurs robes blanches, ils auront des grenades, des revolvers Uzi et tout ça… Ils libèrent d'abord les gosses, ils les mettent à l'abri dans le cheval qui sera blindé comme un tank et ensuite, ils tuent tous ces dingues et ramènent les gosses chez leurs mamans.

— Votre idée est géniale, dit Molly.

Elle se dit que ça valait bien les toutes les idées que les flics avaient eues jusqu'à présent.

— Dites-moi, avez-vous un Hank Hanley sur votre liste pour la nuit dernière ?

— Non, m'dame. Mais il vient d'habitude pour le petit déjeuner. Si vous voulez attendre, ça ne devrait pas être long car nous commençons à servir.

— Savez-vous où il dort habituellement ?

— Non. Hank préfère dormir à la belle étoile qu'ici. Il dit que les types au dortoir lui font des propositions malhonnêtes…

Le garçon éclata de rire.

— C'est peut-être vrai, dit Molly.

— Attendez de voir le vieux Hank, dit-il. Asseyez-vous là. Je vous appellerai quand je le verrai.

Molly s'assit sur une chaise pliante près du bureau et observa les gens au fur et à mesure qu'ils arrivaient. Des hommes pour la plupart ; ils entraient par petits groupes de trois ou quatre. Molly s'étonna que parmi ces vagabonds, il y avait un nombre important de gens appartenant aux classes moyennes, avec des pantalons chiffonnés mais bien coupés.

Trois vieilles femmes entrèrent en chuchotant, avec des sacs à provision. Molly les observa, fascinée. Cela faisait longtemps qu'elle voulait écrire un article sur les femmes sans-abri, depuis qu'elle avait remarqué combien de femmes — elle-même incluse — se promenaient avec ces affreux sacs. C'était particulièrement vrai des femmes qui subissent un divorce ou un changement majeur dans leur vie. Celles qui discutaient près de l'entrée lui faisaient penser aux sorcières de

Macbeth. Elle aurait voulu connaître leur vie, savoir où elles dormaient, les suivre dans leurs activités quotidiennes, les photographier. Molly voulait savoir ce qu'elles trimballaient dans leurs sacs.

Le jeune homme à l'accueil, lui cria :

— M'dame, le voilà !

Un homme d'une maigreur cadavérique, voûté, à la barbe poivre et sel, entra seul. Molly perdit tout espoir. Cet homme était un mort vivant. Une publicité ambulante pour les dégâts de l'alcool sur le corps humain. Hank Hanley avait l'air d'avoir quatre-vingt-treize ans plutôt que cinquante-trois. Sa peau tannée par le soleil et la crasse était si desséchée qu'elle semblait momifiée. Il portait un jean qui aurait glissé de ses hanches s'il n'avait pas été retenu par des lacets de soulier. Son chapeau de paille taché était entouré d'une bande sur laquelle on lisait : *Hard Rock Cafe — London.*

Molly se leva.

— Monsieur Hanley ?

Il leva la main pour ôter son chapeau. Il le rata la première fois. Il y arriva au second essai. On lui avait appris autrefois les bonnes manières et il en restait quelque chose.

— M'dame ?

— Je m'appelle Molly Cates, monsieur Hanley. Pouvons-nous nous asseoir et bavarder quelques minutes ?

Sa mâchoire se mit à trembler tandis qu'il décochait des regards affolés autour de lui de ses yeux profondément enfoncés dans leurs orbites.

— Est-ce que je vous connais, m'dame ?

— Non. Mais je vous serais très reconnaissante de m'accorder un peu de votre temps.

— J'ai rien fait de mal…

— Oh non ! Je veux seulement vous parler.

— Vous n'êtes pas flic ?

— Certainement pas, dit Molly avec un sourire. Je suis écrivain.

— Écrivain ?

— Oui. Je peux peut-être vous inviter à prendre un petit déjeuner ? suggéra Molly. Connaissez-vous un endroit près d'ici que vous préférez ?

Hank se mit à gratter furieusement sa barbe.

153

— J'aime bien la Maison des crêpes, mais je ne peux pas…

— J'aimerais vous inviter. Venez. Ma camionnette est dehors…

— Oh oui, m'dame !

— Molly, dit-elle. Appelez-moi Molly et je vous appellerai Hank.

Dans la chaleur du matin, ils marchèrent jusqu'à la camionnette en parlant du temps. Il se trouvait que le temps était le sujet favori de Hank, quelque chose qui le touchait de près. C'était le printemps le plus chaud depuis onze ans, dit-il. Mais humide et pluvieux. Ça donnait plus de moustiques et de fourmis rouges que d'habitude. Quant aux puces, elles étaient féroces cette année.

À la Maison des crêpes, l'hôtesse jeta un coup d'œil désapprobateur sur Hank. Elle mit du temps à leur donner une table et quand elle tendit un menu à Hank, ses narines se gonflèrent de dégoût.

Dès que la serveuse leur eut servi des tasses de café, Molly entra dans le vif du sujet.

— Hank, comment est votre mémoire ?

Il eut un petit rire grinçant.

— Ma mémoire, m'dame ? Aussi trouée qu'un morceau de gruyère…

Il but une longue et bruyante gorgée de café.

— La mienne aussi, dit Molly.

Ils rirent ensemble, de ce rire que les gens qui ne sont plus tout jeunes réservent aux fragilités du vieillissement.

— Mais il y a des choses, continua Molly, qui me sont arrivées il y a longtemps et que je n'oublierai jamais parce qu'elles sont extraordinaires… Je suis sûre qu'il vous est arrivé aussi des choses comme ça, Hank.

— Je me souviens très bien de ma maman, dit Hank… Et du jour de mes sept ans…

Molly lui sourit. Peut-être. Il y avait peut-être une chance.

— Hank, il y a très longtemps vous étiez à Waller Creek quand un homme a trouvé un bébé. Vous vous souvenez ? Un nouveau-né qui flottait dans un bac à glace ?

Surpris, il ouvrit lentement la bouche. Les quelques dents qui lui restaient semblaient prêtes à tomber.

— J'aimerais que vous me racontiez ça, dit Molly.

154

— C'était il y a bien longtemps, dit-il.

— Oui, trente-trois ans.

— Mais comment le savez-vous ?

— Vous voulez dire que vous étiez là ?

— Oui.

— D'après le rapport de l'officier de police qui a pris le bébé. Vous vous souvenez ? Il a noté votre nom.

Hank hocha la tête.

— Hank, je vous en prie, parlez-moi de cette journée.

— Je n'ai rien fait de mal. J'étais seulement là, près de la rivière.

Il serra ses lèvres minces.

— Je sais, dit Molly.

Elle fit une pause, car elle se sentait mal à l'aise. Il lui fallait fournir une explication plausible qui justifierait ses questions et calmerait l'anxiété du sans-abri. Elle ne pouvait pas, bien sûr, lui donner la vraie raison. Si cette piste pouvait servir de monnaie d'échange à la négociation, c'était au prix du secret absolu.

Molly Cates évitait d'ordinaire de mentir. Elle avait été élevée par son père et une tante dans le plus grand respect de la vérité. Lorsqu'elle mentait, elle se limitait à des mensonges pour la bonne cause.

— Je vous pose cette question, dit-elle, parce que le bébé a grandi, qu'il est devenu l'un de mes amis et qu'il veut retrouver ses parents, sa vraie mère. Il m'a demandé de l'aider.

— Il a grandi… Comment est-il ?

— Bien. C'est un bon jeune homme.

— Que fait-il ? demanda Hank.

— Il est comptable. Il est marié et il a deux filles. Vous savez comment c'est — maintenant, il veut retrouver papa et maman.

Molly fut tentée d'en rajouter — les années de collège, comment il avait joué dans l'équipe de football — mais elle se retint.

Hank avait des larmes aux yeux.

— Comptable ! Il était si petit… Un tout petit nourrisson… Il était enveloppé dans une couverture rouge, brillante.

— Oui, j'ai cette couverture. En réalité, c'est un peignoir en soie rouge.

— Vraiment ? C'est incroyable !

La voix plus animée, Hank semblait reprendre goût à la vie.

La serveuse revint prendre leur commande. Hank commanda des œufs brouillés, des pommes de terre sautées et des crêpes au babeurre. Molly choisit des crêpes simples.

— Hank, pouvez-vous me dire ce qui s'est passé ? Tout ce dont vous vous souvenez.

— Ça va-t-y pas me causer des ennuis ? Je veux pas d'ennuis, vous savez.

— Absolument pas.

— J'ai jamais vu un bébé si petit… je crois qu'il venait de naître.

— En effet. Le médecin de l'hôpital où le policier a emmené le nouveau-né a dit qu'il était né quelques heures plus tôt.

— Ça alors ! dit Hank en secouant la tête.

Il parut avoir oublié l'histoire qu'il racontait. Molly dut insister.

— Que faisiez-vous à la rivière ?

— Oh, je dormais. C'était tôt le matin… Alors, j'étais en train de dormir. C'est tout.

— Racontez-moi comment le bébé a été trouvé. C'est vous qui l'avez vu en premier ou c'était le joggeur ?

— Le joggeur. Il l'a vu en premier.

— Ouais… Alors ?

— Je me suis réveillé pour… pour aller aux toilettes… Et ce type courait le long de la rivière. Il avait un short noir et pas de tee-shirt… Je me demande ce qui lui est arrivé ?

— Il est mort l'année dernière, pendant qu'il courait.

— Mort ? Il avait l'air… en si bonne santé…

Hank continua sans avoir besoin d'être encouragé, cette fois.

— L'homme, le joggeur, il s'est arrêté et il a fait une petite exclamation comme : « Oh ! youyouye ! » et il est entré dans l'eau — elle était pas profonde à cet endroit-là. Il a attrapé cette glacière en plastique blanc… et je me rappelle exactement ce qu'il a dit… C'est pas croyable après tout ce temps !

— Qu'est-ce qu'il a dit ?

— Il a dit : « Seigneur Jésus, il y a un bébé vivant là-dedans ! » Et puis, il a dit : « Qui peut abandonner un petit enfant comme ça ? » Ensuite, il a pris le bébé et l'a serré contre

156

sa poitrine. Il transpirait à grosses gouttes et le bébé était mouillé aussi, sans doute parce qu'il avait fait pipi. Ce bébé ne pleurait pas, ne faisait aucun bruit...

— Qu'est-ce qui s'est passé ensuite ?

— Eh bien, je me suis approché et nous nous sommes rendu compte qu'il fallait chercher de l'aide. Alors, on a marché le long de la berge jusqu'à la route. L'homme tenait le bébé des deux mains, serré contre sa poitrine. Il a appelé des gens qui entraient dans l'un des bâtiments de l'université pour qu'ils préviennent la police. Le flic est arrivé quelques minutes après. Dès qu'il a vu le bébé, il appelé une dame de la police et elle est venue chercher le petit enfant pour l'emmener à l'hôpital, je crois.

— Et après ?

— Voyons voir... c'est moins clair pour moi après... Je crois que nous avons emmené le flic à la rivière, à l'endroit où on avait laissé la glacière. On lui a montré où on avait trouvé le bébé. Ensuite, il a écrit nos noms sur son carnet et il est parti.

La serveuse apporta les plats qu'ils avaient commandés. Hank attaqua ses crêpes avec appétit. Au bout d'un moment, il dit :

— Vous vous rendez compte ? Ce bébé n'a pas crié une seule fois... Un comptable, hein ?

Molly fit couler du sirop d'érable sur ses crêpes.

— Hank, avant l'arrivée du joggeur, avez-vous remarqué quelqu'un d'autre dans les parages ?

— Non, je ne crois pas, dit-il la bouche pleine. Juste le joggeur et le bébé.

— Mais vous dormiez tout près de là, vous avez dit.

— Ouais, mais je... j'étais endormi vous savez. On ne voit rien quand on dort.

— Et durant la nuit ? Vous n'avez rien entendu ?

— Vous savez m'dame, je buvais pas mal en ce temps-là... Quand je m'écroulais, rien ne pouvait me réveiller.

Molly sentit qu'elle était arrivée au bout de l'impasse. Il n'y avait plus rien à tirer du clochard. Il fallait l'accepter.

Hank dévora son petit déjeuner avec enthousiasme. Molly en fit de même. Elle paya et ils sortirent du restaurant, suivis par le regard noir de la serveuse.

Tandis qu'ils marchaient à travers le parking, Molly, un peu découragée, demanda à Hank :

— Je vous dépose à l'Armée du Salut ?

— Je préfère aller à la banque du sang sur la 29e rue, si c'est votre chemin.

Molly ne le questionna pas au sujet de la banque du sang. Rien que l'idée qu'un homme comme *lui* pouvait vendre son sang la rendait malade. En roulant vers la Trinité, elle se mit à penser au bébé flottant sur Waller Creek, et elle eut envie de pouvoir visualiser la scène. Cela lui donna une idée, née sans doute de sa déception et de sa détermination obstinée de ne jamais accepter la défaite.

— Hank, avant que je vous dépose, pouvez-vous me montrer l'endroit sur Waller Creek où vous avez trouvé le bébé ? Ça ne doit pas être très loin d'ici ?

— Non, c'est pas loin. J'y vais quelquefois. Je vais vous montrer.

Il lui donna les directions au-delà de Trinité.

— C'est là, dit-il.

Ils se trouvaient à la limite du campus de l'université, où il était toujours impossible de trouver une place pour se garer. Molly rangea sa camionnette sur une place réservée en se disant qu'elle devrait faire passer ses nombreuses contraventions en frais professionnels.

Hank montra le chemin en traversant la rue jusqu'à un pont de pierre. Ils passèrent à côté d'un ancien derrick surnommé Santa Rita n° 1, qui avait été le premier à forer un puits de pétrole sur un terrain appartenant à l'université du Texas. On avait transporté le derrick de l'ouest du Texas au campus, pour rappeler aux étudiants d'où provenaient les ressources financières de l'université. Molly appréciait surtout l'invention d'un débit de paroles sortant d'un petit haut-parleur fixé en haut du derrick — une narration continue de l'histoire du miraculeux flot de pétrole qui avait jailli de terre en 1923. Ce mémorial était une bonne idée, songea Molly. C'était bien d'avoir un rappel de ses origines et de la source de ses revenus. C'était pareil pour elle, qui conservait la vieille machine à écrire de son père et son dictionnaire Webster qui lui rappelaient d'où venait son amour des mots.

Hank n'eut même pas un regard pour le derrick parlant. Il

conduisit Molly jusqu'au bout du pont et se faufila au milieu d'un fourré dense qui dissimulait un sentier. Il parcourait avec une aisance due à l'habitude le chemin glissant et escarpé. Molly le suivit en s'accrochant aux branches d'arbres. En contrebas, une clairière découvrait la rivière qui bouillonnait sous l'arche du pont.

— Par ici, dit Hank en disparaissant sous le pont. Molly hésita un instant en voyant combien il y faisait sombre, mais elle le suivit pourtant, sur le rebord en gravier, le long de l'eau. Ils enjambèrent des morceaux de carton, des bouteilles de whisky vides, des chiffons, qui indiquaient des traces de présence humaine.

Ils émergèrent enfin dans un paysage bucolique de grands arbres au feuillage touffu, qui poussaient de chaque côté de la rivière. Le niveau de la route étant bien plus élevé, ils étaient invisibles aux yeux des passants. C'était comme s'ils se trouvaient transportés dans un monde secret et souterrain, totalement séparé de l'agitation du campus au-dessus d'eux.

Le sol était jonché de détritus, comme sous le pont. Hank, avec l'attitude d'un guide touristique, commenta :

— C'était plus propre, avant... Tout était plus propre...

Il entraîna Molly vers des rochers plats et blancs qui émergeaient. Sautant sur un roc, il montra du doigt quelques rochers au milieu de la rivière.

— C'est là. La glacière s'était échouée là-bas, sur les rochers.

Soudain, Hank leva les yeux. Son attention fut attirée par des éclats de rire venant du haut du talus surplombant Waller Creek. Dans un espace vide entre les arbres, Molly aperçut deux filles en short et tee-shirt qui riaient aux éclats. Elle fut étonnée de découvrir en arrière-plan des tables de pique-nique et des poteaux de basket-ball. C'était une aire de jeux pour les étudiants.

— Est-ce qu'il y a toujours eu là-haut une piste de jogging et une aire de jeux ? demanda-t-elle.

Hank était tellement absorbé par le spectacle des étudiantes qu'il ne l'entendit pas. Molly lui toucha le bras. Il sursauta.

— C'est amusant de les voir, hein ? Elles sont si jeunes et si pleines de vie. Et d'ici, on peut les regarder sans qu'elles vous voient...

Il tira sur sa lèvre inférieure.

— Je viens ici de temps en temps… Je les regarde… Y a pas de mal à ça ? Bien sûr, je ne fais jamais de…

— Je sais, Hank. Il n'y a pas de mal à les regarder.

— Non, dit-il. Elles font partie d'un club d'étudiantes…

— Oh ? dit Molly.

— Ouais, ça se voit aux lettres imprimées sur leurs tee-shirts.

Molly cligna des yeux et aperçut en effet des caractères de l'alphabet grec imprimés sur les vêtements des deux filles.

— Ces lettres étrangères indiquent qu'elles font partie d'un club de filles.

— Ah oui ! dit Molly.

— Ouais… Et vous savez, ce jour-là que vous me demandiez si j'avais vu quelqu'un…

— Oui ? dit Molly, ne voulant surtout pas interrompre le fil de sa mémoire.

— Je l'ai jamais dit à personne, mais j'ai vu là-haut deux filles avec ces lettres étrangères…

— Comme ces deux filles-là ?

— Les lettres n'étaient pas les mêmes et les filles ne riaient pas.

— Elles ne riaient pas ?

— Non, et même, y en avait une qui chialait.

— L'une des filles pleurait ?

Hank semblait perdu dans ses souvenirs.

— Les lettres n'étaient pas tout à fait pareilles que celles-ci. J'aurais dû vous le dire plus tôt… (Il eut un petit rire.) Ma mémoire est comme un gruyère.

— À quel moment avez-vous vu pleurer la fille ?

— Avant que nous n'ayons trouvé le bébé.

— Combien de temps avant ?

— Oh, quelques minutes. C'était quand je me suis levé pour faire mes besoins, ce matin-là…

Hank lécha ses lèvres sèches.

— Elles grimpaient la colline. L'une d'elles pleurait et gémissait. L'autre la soutenait. Alors, j'ai remarqué ces lettres étrangères au dos de leurs tee-shirts. Si j'avais su qu'elles venaient d'abandonner un petit bébé, je les aurais rappelées. Ça n'apporte rien de bon pour personne de faire une chose

160

comme ça… Vous dites que votre ami, le comptable, va bien, mais je ne sais pas… S'il va si bien, pourquoi il vous envoie faire cette démarche pour lui ? Et je vous dis que ces filles allaient mal ce jour-là… Rien de bon ne peut en sortir… Le secret et la honte…

Molly était stupéfaite par la longueur et l'émotion contenue de son discours.

— Vous avez raison, Hank… Vous souvenez-vous de quoi elles avaient l'air ?

— C'était il y a si longtemps et j'ai vu tant de filles depuis…

— Vous ne vous rappelez de rien du tout ?

— Seulement de l'écriture sur leurs tee-shirts.

— Qu'est-ce que ça disait ?

— Oh, je n'en sais rien. Je ne sais lire que l'anglais.

Molly eut une inspiration soudaine.

— Pourriez-vous dessiner ces lettres ?

— Eh bien, oui… pourquoi pas ?

Il s'accroupit, ramassa une pierre ovale et dessina lentement dans la poussière les caractères grecs : pi, alpha, oméga.

— Vous êtes sûr que c'était ces lettres-là ?

— Oh oui ! Je vois souvent des filles qui portent ces mêmes lettres. Elles appartiennent au même club. Chaque fois que je vois ces lettres, ça me rappelle ce jour-là.

— Vous n'avez pas revu ces deux filles ?

— Non. Seulement ce matin-là.

— Pensez-vous qu'une des filles aurait accouché par ici ?

— Non. J'aurais entendu quelque chose. Ça fait du bruit. Je me souviens quand ma mère a eu ma sœur… Elle hurlait et haletait et s'agitait dans tous les sens… J'aurais entendu. Et ça aurait laissé des traces. Non. Elles ont dû l'amener ici après sa naissance.

Molly approuva de la tête.

— Dites, je vais pas avoir des ennuis après tout ce que je vous ai dit ?

— Non. Je vous le promets, dit Molly.

Elle proposa à Hank de le ramener à l'Armée du Salut. Il répondit qu'il préférait rester un moment au bord de l'eau. Il lançait des coups d'œil furtifs sur les deux filles qui bavardaient ensemble en haut du talus.

Molly lui demanda s'il avait besoin de quelque chose.

161

— Merci. J'ai vraiment apprécié ce petit déjeuner, dit-il.

Elle ouvrit son sac et en retira un billet de vingt dollars qu'elle lui tendit :

— Pour quelques petits déjeuners…

Molly savait qu'il s'en servirait sans doute pour acheter du vin. Mais elle le fit pourtant parce que ça soulageait sa conscience. Elle se sentait moins coupable de l'avoir utilisé et abandonné ensuite. Moins coupable de lui avoir menti. Moins coupable de ne pas lui avoir posé de questions sur sa mère et l'anniversaire de ses sept ans. Moins coupable de lui tourner le dos et de s'en aller.

Molly lui tourna le dos et s'en alla.

La maison du club Pi Alpha Oméga était une immense reproduction d'une plantation sudiste, aux briques rouges et aux piliers blancs. La bâtisse donnait l'impression d'avoir été construite pour intimider, comme si l'intention de l'architecte avait été de faire savoir à toutes celles qui n'étaient pas des « Pi Alpha » qu'elles n'étaient que des moins-que-rien, des esclaves aux pieds boueux.

Molly restait plantée sur le trottoir, en proie au doute. Elle avait consulté les archives de la bibliothèque et de l'université pour y trouver une liste des Pi Alpha Oméga qui s'étaient inscrites à l'université d'été en 1962. En vain. Le temps pressait. Si elle devait poursuivre cette piste, il lui fallait prendre des raccourcis. Raconter des mensonges qui pouvaient mettre en danger sa carrière et sa réputation. Tout dépendait de sa capacité à inventer le mensonge convaincant.

En observant le gazon rectiligne et les azalées roses en fleur, Molly savait que les résidentes de cette respectable maison travaillaient dur à maintenir les apparences. Ici, une approche directe ne réussirait pas. Les Pi Alpha Oméga ne dévoileraient pas leurs secrets honteux de bonne grâce, même s'ils remontaient à trente-trois ans.

Molly entra dans la maison. Dans le salon ensoleillé, elle vit plusieurs jeunes filles aux longs cheveux brillants, lovées dans des fauteuils confortables, le nez plongé dans leurs livres. Un grand téléviseur allumé, le son baissé, diffusait un *soap opera*. Molly fut soulagée de ne pas voir un reportage de plus sur les jezreelites. L'une des étudiantes remarqua la présence de Molly.

— Madame, puis-je vous aider ? demanda-t-elle.

— Oui. Où pourrais-je trouver la gouvernante ou la personne responsable de la maison ?

— Eh bien, Mlle Larkin est notre gouvernante. Elle est d'habitude dans son bureau, à droite au fond du vestibule.

Molly suivit la direction indiquée. La porte du bureau était ouverte. Une femme aux cheveux d'un noir peu naturel travaillait, la tête penchée, à un bureau minuscule. Lorsqu'elle releva la tête, son visage pâle et ridé contrastait avec le noir de jais de sa chevelure.

— Oui ?

— Êtes-vous mademoiselle Larkin ? demanda Molly.

— Oui, dit-elle avec l'accent traînant du Texas, je suis Betty Larkin.

— Je m'appelle Moliy Cates.

Molly s'avança et serra la main tendue de Mlle Larkin.

— J'écris pour le magazine *Lone Star Monthly*, et j'espère que vous pourrez m'aider sur un article que nous faisons.

Le visage de la gouvernante s'éclaira.

— Asseyez-vous, je vous en prie.

— Connaissez-vous notre magazine, mademoiselle Larkin ? demanda Molly en s'asseyant.

— Oui, bien sûr. Mais je n'ai pas beaucoup le temps de lire… Je suis très occupée avec nos étudiantes.

— Je veux bien le croire, dit Molly. Quand je pense au temps que me prenait une fille de cet âge, je frémis à la pensée d'une maison pleine !

Betty Larkin eut un petit rire. Molly continua :

— Je fais une recherche pour un article sur Martha Dillingham. Vous savez, cette femme poète qui a eu le prix Kemper de littérature, l'année dernière…

Molly fit une pause pour voir comment prenait son histoire inventée de toutes pièces. Betty Larkin hochait la tête comme si elle avait reconnu le nom de la poétesse. Encouragée, Molly poursuivit :

— Martha m'a dit que l'une des influences qui a déterminé sa carrière a été un cours de littérature qu'elle a suivi ici, à l'université du Texas, durant l'été de 1962. Un projet collectif d'écriture faisait partie du cours. Elle a donc travaillé sur ce projet avec deux filles du club Pi Alpha Oméga. Malheureusement, elle ne se souvient plus de leurs noms et elle a perdu la copie de l'histoire qu'elles ont écrite ensemble. Je voudrais les retrouver pour les interviewer — leur demander ce qu'elles pensaient de Martha à l'époque, si elles pressentaient son talent littéraire et où elles en sont dans leur propre travail d'écriture. Et j'aimerais bien savoir si l'une d'elles a conservé une copie du texte qu'elles ont écrit ensemble.

Molly s'installa plus confortablement sur sa chaise.

— Voici mon problème : la liste des élèves du cours de littérature a été perdue, donc l'administration n'a pu me donner les noms des étudiantes inscrites dans cette classe et le professeur est décédé depuis longtemps. Je me demandais si vous n'auriez pas dans vos dossiers une liste des filles qui étaient ici pendant l'université d'été de 1962 ? Martha est certaine qu'elle reconnaîtra les noms si elle les voit…

— Une liste des filles qui habitaient cette maison en 1962 ?

— Oui. Surtout pendant le trimestre d'été. Je parie que vous avez moins de monde à ce moment-là.

— Oui, bien sûr. Évidemment, c'était bien avant mon temps !

— Avant le mien aussi, dit Molly en riant.

— Ça serait pendant la tenure de Mme Stanford. Elle a été gouvernante ici pendant trente ans. Elle était adorée par des générations d'étudiantes. Voilà une histoire édifiante pour votre magazine !

— Oui, ça m'en a tout l'air, dit Molly d'une voix faussement enthousiaste. Est-elle encore en vie ?

— Pas vraiment, la pauvre. Elle a eu plusieurs attaques et elle ne sait même plus qui elle est. C'est tellement triste.

— Oui, dit tristement Molly.

— Mais j'ai tous ses anciens dossiers ici. Franny les tenait avec une rigueur méticuleuse.

— Vraiment ?

— Oui, mais je ne sais pas si j'ai le droit de vous les montrer…

— Je comprends votre dilemme, dit Molly. Mais c'est une information que j'aurais pu obtenir de l'administration de l'université si la liste n'avait pas été égarée… J'ai seulement besoin des noms des Pi Alpha Oméga qui se trouvaient ici pendant l'été de 1962.

Betty Larkin sourit avec l'expression de quelqu'un qui désire faire plaisir.

— Après tout, je ne vois pas le mal qu'il y aurait… Ça me semble au contraire bénéfique pour le club… Est-ce que cette… cette femme poète a été membre du club Pi Alpha Oméga ?

— Non, madame. Elle n'était pas assez riche.

— Dommage. À présent, nous offrons des bourses. Pas suffisamment, bien sûr… C'est un tel avantage pour ces filles qui obtiennent une bourse d'établir des contacts qui leur serviront pour toute la vie, une entrée dans un monde dont elles n'auraient jamais eu l'accès…

— Je m'en doute, dit Molly.

— Voyons voir si nous pouvons vous trouver cette liste…

La gouvernante saisit son téléphone et appuya sur deux boutons.

— Cindy, voulez-vous s'il vous plaît regarder dans les dossiers de Mme Stanford — dans le classeur vert clair —, j'ai besoin d'une liste qui remonte à 1962… Les noms des filles qui participaient à l'université d'été, cette année-là. Et apportez-moi aussi l'annuaire de 1962. Il est dans le tiroir du haut… Oui, tout de suite, s'il vous plaît… Et faites-moi quelques photocopies. Merci.

Elle raccrocha et se tourna vers Molly, les sourcils froncés.

— Mais je viens d'y penser, madame Cates. Vous dites qu'elle reconnaîtra les noms, mais comment les retrouverez-vous ? Vous savez combien de fois, nous, les femmes, changeons de nom et déménageons ?

Molly hocha la tête. Ce n'était que trop vrai.

— Vous aurez besoin d'un de nos annuaires récents mis à jour, dit Betty Larkin. On y trouve leurs noms de jeune fille et la date de leur mariage. On apprend aussi les décès, quoique cela ne soit pas fréquent parmi nos filles. Celles-ci devraient avoir la cinquantaine, n'est-ce pas ? La plupart de nos membres y sont. J'ai quelques annuaires en supplément. Je peux donc vous en prêter un, mais il faudra me le rendre.

Molly réprima l'envie d'embrasser Mme Larkin. Elle possédait les qualités d'une bonne chercheuse, anticipant les problèmes. Molly n'était pas très au courant des activités d'une gouvernante dans une maison d'étudiantes, mais elle était certaine que Betty était excellente dans sa fonction. Tout le monde aurait besoin d'une gouvernante qui s'occuperait des détails et anticiperait les problèmes. C'était peut-être mieux que d'avoir une femme !

— Merci infiniment, dit Molly, ça va m'aider énormément.

— L'une de mes fonctions est la promotion des réseaux. Cela paraît intéressant pour les deux camarades de classe de — oh, j'ai oublié son nom !

Molly essaya frénétiquement de se souvenir du nom qu'elle avait inventé.

— Martha… Martha Dillingham.

— Ah oui. Je n'ai jamais lue, mais j'ai toujours voulu le faire.

Quand la secrétaire apporta les listes de 1962 et que Betty Larkin lui eut prêté le bottin, Molly quitta la maison en un clin d'œil sans même laisser sa carte, comme elle avait pourtant coutume de le faire.

Elle se dépêcha de regagner sa camionnette, garée illégalement. Elle se sentait nerveuse et euphorique. C'était comme de voler une banque et de s'en tirer. Elle devait manquer d'un certain sens moral pour agir ainsi avec autant d'aise et de savoir-faire. Elle avait obtenu plus de résultats que la police d'Austin, que l'Assistance publique et Donnie Ray Grimes lui-même.

Un tueur en série, sur lequel elle avait écrit autrefois, l'avait comparée à une femelle pitbull qu'il avait vue en combat. Pour la faire lâcher prise, il avait fallu la battre à mort, ou presque.

Molly prit la contravention sur son pare-brise et la fourra dans son sac. Bien sûr, cette comparaison avec le pitbull était très exagérée. Il était exact que lorsqu'elle traquait une piste intéressante, elle aimait aller jusqu'au bout. Mais Molly n'était pas une fanatique. Elle saurait éviter les extrêmes.

12

Je ne devrais sans doute pas dire ça à une enfant, ma chérie, et si tu le répètes à ta tante Harriet, je le démentirai, mais je pense que la foi religieuse a fait plus de mal en ce monde que les sept péchés capitaux réunis.

Vernon CATES à sa fille.

DE MAUVAISE GRÂCE, comme si elle avait été obligée de déposer l'un de ses enfants à sa leçon de piano, Molly s'arrêta chez Jake Alesky pour prendre le chien. La veille au soir, tandis qu'elle aidait Jake à décharger ses provisions, il avait proposé de garder l'animal quand Molly ne pouvait pas le faire. Elle avait accepté avec joie et avait déposé Copper le lendemain matin avant de traquer Hank Hanley. Mais elle ne pouvait le lui laisser indéfiniment.

En se garant devant la caravane, elle fut étonnée de voir Jake assis dans son fauteuil, jetant une balle de tennis à Copper qui la rattrapait avec la vigueur d'un chien bien entraîné et la rapportait sagement.

— Il aime ça ! cria Molly par la vitre baissée de sa camionnette.

Jake se baissa pour ramasser la balle dégoulinante de bave que Copper venait de lui apporter.

— C'est normal. C'est un chien !

— Oui, je suppose…

— Savez-vous que cette race a une vitesse d'accélération de zéro à trente-cinq en deux secondes ?

— Incroyable… mais pas particulièrement utile pour un chien d'appartement… Merci de l'avoir gardé.

— Ah, nous avons tous les deux besoin de faire de l'exercice !

Il avança son fauteuil jusqu'à la camionnette.

— Alors, quand allons-nous à Jezreel ?

— Je vous l'ai déjà dit. Jamais.

— Prévenez-moi quand vous changerez d'avis. J'ai envie d'y aller.

— Suivez le déroulement à la télévision, dit Molly. C'est ce que je fais. Une scène de crime, c'est comme le football. On voit mieux à la télévision que si on y était.

Quinze minutes plus tard, roulant vers sa maison avec Copper à l'arrière, Molly appela son bureau.

— Il y a un paquet et un fax pour vous, dit Stéphanie. Et une femme a téléphoné toutes les dix minutes ce matin sans laisser son nom ni son numéro de téléphone. Elle dit que c'est urgent.

— Urgent ? Et qu'est-ce que je peux faire si elle ne me laisse pas son numéro de téléphone ?

— C'est bien mon avis.

Molly venait de traverser la 5e rue.

— J'arrive au journal dans quelques minutes. Si cette femme rappelle, dites-lui que je serai à mon bureau dans cinq minutes.

Elle conduisit la camionnette dans le parking du journal. Dès qu'elle fut descendue de voiture, Copper se précipita à l'arrière et se mit à gémir. Molly jura à voix basse. Elle l'avait oublié.

Le chien tremblait d'anticipation.

— Que tu es assommant ! Je ne peux pas t'emmener, mais...

Elle s'arrêta de parler en remarquant une petite femme au pied de l'escalier, qui l'observait. Elle portait un jean, des lunettes noires et un foulard qui dissimulait ses cheveux et la moitié de son visage. Elle se dirigea rapidement vers Molly, la tête baissée. Elle était trop petite pour être menaçante. Néanmoins, Molly serra la petite bombe lacrymogène accrochée à son porte-clés et se prépara à toute éventualité. Elle regarda autour d'elle dans le garage désert.

La femme s'arrêta devant Molly. Elle chuchota :

— Êtes-vous Molly Cates ?

— Qui veut le savoir ? dit Molly à voix basse.

La femme releva la tête et jeta un regard circulaire dans le parking désert.

— Je sais qui vous êtes. Je vous ai déjà vue. J'ai quelque chose à vous dire... quelque chose de très important... quelque chose de si terrible que vous ne le croirez pas.

La voix de la femme tremblait, haletante. Molly se sentit tout à coup vieille et blasée. Il n'y avait plus rien sur cette terre d'assez terrible qu'elle ne puisse croire.

— Allons dans mon bureau, dit-elle, vous pourrez m'en parler là-haut.

— Non, non ! Je ne peux pas. Allons là, derrière votre camionnette.

— C'est plus privé dans mon bureau et beaucoup plus confortable...

— Non ! Il ne faut pas qu'on me voie... Vous ne comprenez pas. Venez !

Elle se dirigea rapidement vers un étai en ciment derrière la camionnette et s'appuya dans le recoin, contre le mur. Molly la suivit, la peur au ventre. La terreur que cette femme dégageait était contagieuse.

Molly observa attentivement la jeune femme qui avait enlevé son foulard. Elle reconnut le visage ovale, aux traits fins et délicats — elle avait vu sa photo hier, chez Dorothy Huff.

— Vous êtes Annette Grimes, dit Molly à voix basse.

La femme de Samuel Mordecai acquiesça.

— Je vous ai déjà vue, par la fenêtre, dit-elle, quand vous êtes venue il y a deux ans à Jezreel. Il était furieux à cause de votre article. Il n'a permis à aucun d'entre nous de le lire. Quand je me suis enfuie il y a huit mois, je l'ai lu à la bibliothèque. C'est pour ça que je suis venue vous voir. Vous devez leur dire... aux agents du FBI et à la police... à tous ceux qui essaient de lui parler...

Elle regarda derrière le pilier et s'assura de nouveau que le garage était désert.

Molly se rendait compte du danger de la situation et qu'il fallait agir avec bon sens et sang-froid.

— Annette, je transmettrai tout ce que vous me direz. Mais maintenant, il faut monter dans ma camionnette et je vous conduirai au commissariat de police. Ça ne fait que dix pâtés de maisons... Nous obtiendrons la protection de la police pour vous et vous pourrez leur dire vous-même... En toute sécurité. Venez. Nous parlerons en chemin.

— Non ! s'écria Annette Grimes d'une voix tremblante de frayeur.

— Moi, je ne peux pas. Je veux que vous leur parliez. Si vous ne voulez pas le faire, je dois partir...

Molly hésitait pourtant. Annette semblait prête à s'enfuir d'un moment à l'autre. Elle ne pouvait pas la forcer à se mettre sous la protection de la police, et il ne fallait surtout pas qu'elle parte.

— OK, dit Molly. J'ai un petit magnétophone dans mon sac. Je voudrais enregistrer ce que vous avez à dire.

— Non ! dit Annette en larmes. Je veux seulement vous dire ce pourquoi que je suis venue ici et partir…

Molly posa sa main sur le bras de la jeune femme. Un grondement sourd monta de la camionnette. Elles sursautèrent.

— Couché Copper ! dit Molly au chien. Ça va aller… Écoutez-moi, Annette. Je pense que vous avez des choses très importantes à me dire. Laissez-moi les enregistrer. Je ne donnerai la bande qu'au chef du FBI à Jezreel et au négociateur principal de la police d'Austin. Ce que vous me direz aura encore plus de poids si je l'enregistre sur ma bande. Personne d'autre ne l'entendra, je vous le promets.

— OK, dit la jeune femme en tremblant de tous ses membres, mais je dois me dépêcher… Ils savent que je suis en ville…

Elle s'entoura frileusement de ses bras. Molly sortit rapidement le petit magnétophone de son grand sac et appuya sur le bouton d'enregistrement.

— Allez-y, dit-elle à la jeune femme.

— Je ne peux croire que je fais une chose pareille ! J'ai vécu avec cet homme depuis que j'ai quatorze ans… pendant onze années… mais je dois le faire…

Les larmes inondaient son visage d'enfant.

— Allez-y ! insista Molly.

— J'ai vu une de ces mères à la télévision, et… Oh, je me sens si mal…, dit-elle la voix entrecoupée de sanglots…, si coupable, si… détruite. Vous ne pouvez pas savoir. Personne ne peut savoir…

Elle couvrit son visage de ses mains.

— Dites-leur qu'ils doivent entrer dans le camp sans attendre pour sauver ces enfants… Il le faut. *Tout de suite !*

— Pourquoi ?

Annette sanglotait si fort qu'elle pouvait à peine parler.

— Parce qu'il doit… les tuer…

— Il le doit ? Pourquoi ?

— Selon sa doctrine de l'instrument humain. Un sacrifice est nécessaire.

— Un sacrifice? Pourquoi nécessaire? demanda Molly, le cœur serré.

Elle avait soigneusement évité de penser à cela durant ces quarante-huit jours.

Annette enleva ses lunettes de soleil. Ses yeux pleins de larmes étaient d'un bleu intense sous ses cils noirs.

— C'est ainsi que l'Apocalypse commencera... avec cinquante martyrs... purifiés... innocents...

— Il n'en a que douze, interrompit Molly.

— Il n'en a plus besoin que de huit, peut-être moins maintenant, dit Annette en s'essuyant les yeux avec un Kleenex.

— D'où viennent les quarante-deux autres martyrs? demanda Molly d'une voix angoissée.

— Les nouveau-nés... Il les a expédiés directement à Dieu... Le cinquantième jour. Toujours le cinquantième jour.

— Les bébés nés à Jezreel?

— Oui, oui! Durant trois ans!

— Alors ça se passait déjà pendant ma visite à Jezreel?

Annette hocha la tête.

— Comment?

— Oh... (Elle essuya son nez du revers de sa main.) Par ce rituel... avec une faucille... C'est la tradition transmise de prophète à prophète... Il faut que le sacrifice soit accompli exactement comme ça... Au coucher du soleil. Il le fera vendredi... à moins qu'ils fassent quelque chose pour l'en empêcher...

— Annette, pour sauver les enfants, ils ont besoin de savoir où ils sont cachés. Où sont-ils?

— Quelque part sous terre. Je ne sais pas trop, mais les bébés... ils étaient dans des berceaux... enterrés... sous la grange... la terre purifie...

— La grange blanche?

— Oui. Avec le toit en tôle ondulée. Ils étaient nourris et changés... en survie... dans ces espèces de boîtes sous la terre... Je ne me suis seulement rendu compte de l'horreur qu'il y a quelques semaines... quand j'ai eu le mien... Il est si vulnérable...

Elle se remit à sangloter si fort qu'elle dut s'interrompre.

Molly s'approcha et l'entoura doucement de son bras. Copper ne broncha pas.

— Annette, vous avez eu un bébé?

— Oui, c'est pour ça que j'ai dû partir... avant qu'il ne le sache.

— Il aurait sacrifié son propre enfant?

— Oui. L'enfant n'aurait pu vivre de toute façon, avec la fin du monde approchant. C'est ce qu'il nous a enseigné. Nous l'avons cru. Ainsi, le petit enfant resterait innocent et il irait droit à Dieu, sans la souffrance...

Molly dut se forcer pour continuer à interroger Annette.

— Annette, que peut-on faire pour libérer les enfants? Mordecai dit qu'il les tuera dès le premier assaut. Le ferait-il vraiment?

Annette respira profondément pour se calmer.

— J'ai regardé le reportage sur Jezreel à la télé... J'ai beaucoup réfléchi. Il doit le faire lui-même... de cette manière très spéciale... Le Ravissement de Mordecai. Le dernier de la lignée. Et ces martyrs parfaits de l'Apocalypse... il n'y a que lui qui puisse le faire, alors si...

Annette tourna la tête vers le mur tandis qu'une grosse voiture blanche montait la rampe. Instinctivement, Molly se plaça devant elle, la masquant de son corps. La Cadillac blanche se gara sur une place vide près de l'ascenseur. Une femme aux talons hauts, en tailleur rouge, en sortit. Lorsqu'elle disparut dans l'ascenseur, Molly poussa un soupir de soulagement.

— Tout va bien. Elle est partie, dit-elle. Vous disiez que Mordecai est le seul qui puisse les sacrifier, donc si...

Molly s'interrompit au bruit d'une autre voiture qui montait la rampe. Un fourgon bleu foncé apparut et ralentit comme pour trouver une place. Soudain, il accéléra en fonçant sur les deux femmes. Annette étouffa un sanglot. Molly la saisit par le bras et l'entraîna vers sa camionnette. Elles atteignirent la porte du passager à l'instant même où le fourgon s'arrêta brusquement derrière la camionnette dans un crissement de pneus.

Deux hommes sautèrent du camion et coururent vers les deux femmes. Molly tira sur la poignée de la portière. Elle était fermée à clé. Elle fouilla désespérément dans son sac pour trouver ses clés et le flacon de gaz lacrymogène. L'un des hommes l'attrapa par un bras qu'il tordit derrière son dos. Elle poussa un hurlement et essaya de se dégager. Devant elle, l'autre homme avait déjà soulevé de terre Annette qui hurlait et donnait des coups de pied dans toutes les directions. Cela n'empêcha pas son ravisseur de l'emporter vers le fourgon. Un énorme bras poilu saisit la tête de Molly, bouchant sa vue. Elle essaya de le mordre mais il lui tordit le cou.

Tout à coup, telle une locomotive lancée à grande vitesse, une force surhumaine les projeta tous deux violemment à terre, le corps de l'homme écrasant Molly de tout son poids. Elle eut la sensation que sa poitrine explosait. En même temps, elle entendait au-dessus d'elle des sons horribles, des grondements sourds, des grognements aigus, comme le déferlement d'une centaine de démons furieux. Paniquée, Molly essaya de remuer, mais le poids de l'homme qui se tordait sur elle la clouait sur le ciment. Elle entendit soudain un hurlement de douleur. Le bras autour de son cou se détendit. Elle put bouger de quelques centimètres, et finalement, elle s'extirpa de la masse qui l'écrasait.

Molly vit le chien — transformé en une sombre furie hargneuse — qui piétinait le dos de l'homme et lui avait presque arraché un bras. L'homme hurlait, essayant vainement de se défendre avec son bras valide. Une pluie de gouttes de sang et de bave s'abattait sur eux.

Molly réussit à se mettre debout. Elle chercha Annette des yeux. Un troisième homme l'entraînait dans le fourgon. La jeune femme criait :

— Non, non ! Lâchez-moi ! Au secours !

— Arrêtez ! À l'aide ! cria Molly.

Sa voix n'était qu'un gémissement rauque.

La porte du fourgon claqua.

Derrière Molly, son assaillant réussit à se lever et essayait de se dégager de la gueule du chien. Il retomba, accroupi, le chien toujours accroché à son bras et hurla :

— Tirez ! Tirez sur ce putain de clebs !

La porte du fourgon s'ouvrit. L'homme qui saignait abondamment se traîna vers le fourgon, le bras toujours dans la gueule du chien qui grognait rageusement, ses griffes agrippées au ciment. Un autre homme sauta du fourgon et s'avança sur Copper. Il faisait tournoyer au-dessus de sa tête, comme un gourdin, un fusil à canon scié.

— Non ! hurla Molly. Copper !

Le chien lâcha prise et esquiva le coup.

La crosse du fusil s'abattit alors sur le bras sanguinolent. Molly entendit le bruit d'os brisé. L'homme qui l'avait attaquée poussa un hurlement de douleur et s'écroula à terre en serrant contre lui son bras fracassé. Molly réussit à sortir ses clés de son sac qui était encore miraculeusement suspendu à son épaule. Elle ouvrit la portière avec sa clé électronique et grimpa péniblement dans la camionnette.

— Copper ! Viens ici !

Mais le chien avait enfoncé profondément ses crocs dans l'épaule de l'homme au fusil. Celui-ci lâcha son arme qui tomba sur le béton.

Molly réussit, avec une main tremblante, à introduire sa clé de contact. Le fourgon bloquait sa camionnette à un mètre en retrait. Elle se mit en marche arrière en accélérant, les yeux fermés. Sa camionnette fonça sur l'un des côtés du fourgon avec un bruit métallique. Elle avança et recula de nouveau, le pied à fond sur l'accélérateur. Puis elle appuya de toutes ses forces et de façon continue sur son klaxon. Le bruit qui résonnait contre les parois en ciment était assourdissant.

Elle se força à regarder derrière. L'un des hommes traînait son camarade blessé vers le fourgon. Le chien furieux le tirait toujours par le bras, qui saignait abondamment. Molly continua à klaxonner. Où étaient donc les gens ?

Les deux hommes étaient parvenus à grimper dans le camion qui démarra en trombe vers la rampe, une porte ouverte. Le fourgon prit les virages sur deux roues dans un strident crissement de pneus.

Molly fit une marche arrière et se lança à leur poursuite. Elle aperçut dans son rétroviseur une masse sombre qui bondit à l'arrière dans sa camionnette en marche.

Mon Dieu ! songea-t-elle en tremblant, son visage ruisselant de sueur. Mon Dieu ! Ce chien est le cerbère des enfers !

Lorsqu'elle arriva à l'entrée du parking, un homme en uniforme brun parlait dans sa radio. Il jeta un coup d'œil sur Molly.

— La police est en chemin. Que s'est-il passé, nom de Dieu ?

— De quel côté est parti le fourgon ? demanda Molly.

Il indiqua le Río-Grande. Mais le fourgon bleu n'était plus visible.

— Laissez faire les flics, m'dame. Ils s'en occupent. Vous, vous attendez ici.

Molly obéit. En regardant dans le miroir, elle s'aperçut qu'un filet de sang coulait de sa tempe et qu'elle pleurait.

Molly ne pouvait s'arrêter de frissonner ni de parler.

— D'habitude, je ne suis pas si désagréable, dit-elle à la femme policier qui la conduisait à Jezreel, je ne crie pas si fort... C'est juste que le lieutenant Traynor doit écouter ma bande le plus tôt possible et que vous étiez tous en train de perdre du temps alors qu'il fallait simplement lui téléphoner... Il nous reste si peu de temps... Comment vous appelez-vous déjà?

— Rhinebeck. Julie Rhinebeck.

— D'accord. Officier Rhinebeck. Julie. J'ai toujours détesté les parkings...

Molly toucha le bandage sur sa tempe gauche comme pour estimer l'enflure.

— Je me gare toujours au parcmètre, même quand je n'ai pas assez de monnaie et que je risque une contravention. Ce n'est pas que j'aie peur de tout... C'est juste les parkings souterrains. Je ne sais pas, c'est comme si...

Molly recommença à frissonner. Elle revoyait sans cesse la scène de la petite Annette qui hurlait et se débattait, jetée dans le fourgon. Elle ne voulait pas penser à ce qui lui était arrivé après.

Julie Rhinebeck se pencha vers Molly, par-dessus le fusil à canon scié dressé entre les deux sièges, et lui prit la main en la serrant très fort.

— C'est comme si vous aviez eu un pressentiment..., dit-elle. Ça m'est arrivé à moi aussi. Et je n'aime pas trop les garages souterrains non plus. L'année dernière, un type m'a menacée avec un couteau dans le parking de la City Bank. Il n'avait que douze ans mais avec ce couteau, je vous assure qu'il avait l'air d'en avoir vingt-cinq! Après, je tremblais comme une feuille. J'ai failli tirer dessus. J'ai été si soulagée de ne pas l'avoir fait!

Molly observa le profil de l'officier. Avec ses cheveux noir brillant tirés en queue de cheval, elle ressemblait à une adolescente. Cette fille était plus jeune que Jo Beth. Depuis quand les prenaient-ils si jeunes ?

— Est-ce qu'ils vous préviendront si le fourgon bleu est retrouvé ?

— Oui. Ils m'ont promis qu'ils téléphoneraient dès qu'il y aura du nouveau. Ne vous faites pas de souci.

Molly tourna la tête vers l'arrière de la voiture de police où Copper dormait sur le siège. Cela avait été une rude journée. Molly avait insisté pour que le chien l'accompagne au commissariat pendant que la police prenait sa déposition et téléphonait à Grady Traynor. Elle demanda qu'un ancien membre de l'unité canine examine le chien et nettoie le sang dont il était couvert. Heureusement, ce n'était pas le sien.

Julie Rhinebeck quitta l'autoroute et prit la route 79.

— Je ne suis jamais venue à Jezreel, mais le lieutenant Traynor m'a donné des instructions précises... Il m'a dit de prendre bien soin de vous et du chien...

— Il a dit ça ?

— Ouais. Et il a dit que vous aimez bien tous les deux circuler en voiture de police...

Molly éclata de rire. Du coup, elle cessa de frissonner.

Elles s'engagèrent sur la FM-3419 et roulèrent en silence pendant les derniers kilomètres, tandis qu'elles prenaient le chemin de terre qui menait au camp retranché des jezreelites.

— Mon Dieu ! s'exclama l'officier Rhinebeck. Regardez-moi ça ! On dirait une foire de village ou un campement de gens du voyage !

Molly regarda les bâtiments familiers qui se dressaient sur la plaine dénudée. Elle observa attentivement la grande bâtisse blanche à gauche du bâtiment central, avec son toit en tôle ondulée qui brillait sous le soleil.

— Arrêtons-nous une seconde, dit Molly.

Elle voulait examiner la grange. C'était une structure préfabriquée reliée au bâtiment central par une sorte de couloir construit en planches de bois grossièrement assemblées. Difficile d'imaginer là, par ce beau jour d'été, sous un ciel bleu et un soleil resplendissant, les horreurs dont Annette Grimes avait parlé.

Des agents fédéraux portant des gilets pare-balles, des fusils et des radios patrouillaient devant la clôture en métal qui entourait les douze acres formant la propriété des jezreelites. Un corridor large de quelques mètres avait été installé par les autorités locales dès le premier jour. Seuls les agents du FBI avaient le droit d'y entrer.

Sur le périmètre extérieur stationnaient deux véhicules de combat Bradley. À côté, deux énormes MI Tanks empruntés à la Garde nationale du Texas. Plusieurs Rangers surveillaient le périmètre extérieur, contrôlant les cartes de presse des journalistes et chassant les badauds.

Au-delà de ce cercle s'étendait le campement de la presse, une cité médiatique sortie de terre comme une fourmilière le jour même de la prise d'otages. Deux échafaudages élevés avec des caméras sur des plates-formes pour filmer le camp, des satellites géants juchés sur de gros camions, des caravanes diverses, des barbecues, des meubles de jardin. Des campeurs. Des tables de pique-nique. Un filet de volley-ball. Un siège très organisé pour une durée indéterminée.

Sur la route, derrière un barrage de police, une foule de touristes prenait des photos. Tout cela formait une combinaison bizarre de zone de guerre et de kermesse.

Dans l'enceinte de la secte, les deux étendards rouges, en lambeaux, qui pendaient au sommet de chaque tour, avaient défrayé la chronique du monde entier. Personne ne savait en interpréter les signes. Était-ce un blason ? Un symbole de la secte ? Seul Mordecai le savait mais il ne le disait pas. Les bannières pendaient tristement, dans l'air immobile.

Molly dit d'un air écœuré :

— Tout ça à cause d'un élève dingue et borné comme Samuel Mordecai qui n'a jamais été plus loin que la troisième ! Ça n'existe qu'en Amérique ! Partons.

— Le lieutenant Traynor m'a dit qu'il fallait faire encore un kilomètre et demi, dit Julie, et qu'on verrait sur la droite une maison blanche avec beaucoup de voitures rangées devant... La voici !

C'était une grande ferme en bois en mauvais état. La pelouse devant la maison était devenue un parking. Quand Molly ouvrit la porte arrière de la camionnette, Copper bondit à terre en gémissant doucement. Elle tendit sa laisse à l'officier Rhinebeck.

— Voulez-vous le promener, Julie ?

177

— Bien sûr !

Un officier de la police d'Austin, qui se prélassait dans une chaise longue sur le porche, se leva en voyant Molly.

— Mademoiselle Cates ? Ils vous attendent. À la salle des communications… sur la droite.

La pièce où entra Molly était un double living-room de style victorien avec des boiseries sculptées et une cheminée en carrelage. Un matériel électronique impressionnant encombrait la salle. Tout était branché : ordinateurs, radios, télévisions, téléphones, et un fax qui déversait un flot ininterrompu de papier. L'une des télévisions était branchée sur CNN, le son coupé. Deux hommes avec des écouteurs étaient assis devant un standard téléphonique. Un troisième, debout, buvait du café dans un verre en plastique. Il n'y avait pas d'air conditionné et pourtant, malgré la chaleur, ils portaient tous des costumes sombres.

Sur l'un des murs, on avait accroché un immense plan de l'enceinte. Sur l'autre mur, les photos épinglées des onze enfants et de Walter Demming. Autour de la cheminée, les photos de Samuel Mordecai, d'Annette Grimes, et d'une trentaine d'adeptes.

Grady Traynor en bras de chemise retroussés, avec son col ouvert et son pantalon gris froissé, se distinguait immédiatement des agents du FBI. Assis dans un vieux fauteuil bancal, il lisait un rouleau de papier qui paraissait interminable.

— Les sept sceaux ? demanda Molly en posant sa main sur son épaule.

Il leva la tête.

— Non, c'est un dossier que la Ligue de surveillance des sectes nous a faxé… sur les jezreelites. En gros, ils disent qu'ils sont secrets, dangereux, fanatiques et d'orientation apocalyptique. Comme si nous ne le savions pas déjà… Comment va mon chien ?

— Il est dehors. Il se promène et renifle les arbres.

— Alors, qu'en penses-tu maintenant ?

— Maintenant, je *sais* qu'il est fou !

Grady se leva en laissant tomber le rouleau du fax.

— En huit ans de carrière, Copper a été blessé treize fois et a permis de faire plus d'un millier d'arrestations…

Il toucha légèrement le bandage de Molly.

— Et toi, comment ça va ?

— C'est juste une égratignure.

— Ne me raconte pas d'histoires, Molly. Tu sais très bien qu'une expérience pareille nous atteint profondément, ne laisse pas que des traces superficielles... Encore une fois, comment te sens-tu ?

— Bon, je suis un peu secouée... et je ne peux pas m'arrêter de parler !

— Un peu plus tard, je t'écouterai pendant des heures ! Donne-moi la bande. Nous allons en faire rapidement une copie avant de la faire entendre.

Molly lui donna la bande qu'il remit à un jeune homme costaud, en complet sombre.

— Faites-en une copie, Holihan. Nous l'écouterons aussitôt que Lattimore sera rentré.

Grady se tourna vers Molly.

— Nous venons de parler avec Walter Demming, il y a quarante minutes. Nous n'avons pas encore divulgué cette information aux médias. Quand nous aurons écouté ta bande, j'aimerais que tu entendes la nôtre. Elle dure exactement soixante-dix secondes.

Un homme vêtu d'un short et d'un tee-shirt trempé de sueur entra dans la pièce. Il saisit une serviette au dos d'une chaise et essuya son visage et ses cheveux gris coupés en brosse. Ensuite, il mit la serviette autour de son cou.

— C'est Molly Cates ? demanda-t-il à Grady.

— Oui, monsieur. Molly, voici Patrick Lattimore, l'agent du FBI spécialement chargé de cette affaire.

Molly le reconnut d'après ses nombreuses prestations télévisées. Il avait un grand nez cassé et des cernes noirs sous les yeux. Son visage sillonné de rides profondes, à la mâchoire carrée, paraissait trente ans plus âgé que son corps mince et musclé.

Lattimore serra la main de Molly.

— Lorsque nous en aurons fini avec vous ici, mademoiselle Cates, nous vous serions très reconnaissants de passer un moment au premier avec nos agents de renseignement qui vous montreront des photos de membres suspects du Glaive de la main de Dieu. Nous avons aussi là-haut un artiste de Dallas, spécialisé en portraits-robots. Le lieutenant Traynor dit qu'il aura également besoin de vous, mais nous aimerions compter sur votre aide pendant que vous êtes ici.

— L'un des hommes, celui qui a entraîné Annette dans le fourgon — je n'ai pas vu son visage. Il avait une cagoule. Je peux essayer pour les deux autres.

— Bien, dit Lattimore.

Il jeta un coup d'œil sur la tempe de Molly.

— On a examiné ça ?

— Oui, l'infirmière de la police d'Austin m'a soignée.

Lattimore, d'un geste large de la main, présenta à Molly les autres agents présents.

— Agent spécial Andrew Stein, négociateur principal — vous avez dû le voir à la télé —, Bryan Holihan et George Curtis.

Molly serra la main de chacun, remarquant particulièrement Andrew Stein au visage poupon auréolé de cheveux blancs bouclés.

— Nous n'avons pas de temps à perdre, dit Lattimore. Écoutons ce que vous avez. Holihan, est-ce que la bande est prête ?

La voix d'Annette Grimes sortit des haut-parleurs placés à chaque coin de la pièce. Molly se sentait de plus en plus mal à mesure que la bande se déroulait. Au moment de la mention du sacrifice des bébés, Lattimore murmura :

— Seigneur Jésus ! Bon Dieu !

Molly n'avait pas arrêté le magnétophone qui avait enregistré tous les sons de l'enlèvement d'Annette : les hurlements, les coups, les grognements, les cris d'Annette appelant à l'aide, les protestations enrouées de Molly. La voix d'un homme hurlant : « Tirez ! Tirez sur ce putain de clebs ! »

À la fin de la bande, Lattimore, impassible, s'adressa à Molly :

— Si ce chien n'était pas à la retraite, je l'embaucherais... Bon Dieu, c'est le genre d'agent dont nous avons besoin ! À présent, j'ai quelques questions à vous poser : en premier, vous êtes certaine que la voix de la femme sur cette bande est celle d'Annette Grimes ?

— Oui, dit Molly en désignant la photo d'Annette... C'est cette femme. La même que j'ai vue sur la photo dans la maison de Dorothy Huff. Elle a enlevé ses lunettes, je l'ai très bien reconnue.

— OK. Deuxièmement, qu'allait-elle dire lorsqu'elle a été interrompue ?

— Je crois qu'elle voulait me dire que si Mordecai n'était plus là pour sacrifier les enfants, vous pourriez peut-être les sauver. Selon la tradition du Ravissement de Mordecai, lui seul doit les tuer.

— Ouais. Nous en reparlerons. Troisièmement, vous êtes journaliste. Vous avez une idée quand les gens disent la vérité ou lorsqu'ils racontent des histoires... Est-ce qu'Annette Grimes disait la vérité ?

— Oui.

Une ombre passa sur le regard de Lattimore.

— Je ne peux pas vous dire combien je suis désolé d'apprendre cela. Si Mordecai doit tuer ces enfants pour accomplir sa mission, alors nous avons négocié pendant quarante-huit jours pour quelque chose qu'il ne peut pas nous donner. Nous sommes obligés de recourir à la force, et pour moi c'est un échec majeur.

— Avez-vous des nouvelles d'Annette ou du fourgon ? demanda Molly.

— Non. La police d'Austin a lancé un avis de recherche. Ils nous avertiront dès qu'ils trouveront quelque chose. Mais je dois vous prévenir, mademoiselle Cates, que d'après ce que nous savons de Mordecai et des jezreelites, personne ne peut leur échapper et s'en tirer. Le Glaive de la main de Dieu s'en charge. Mme Grimes s'est enfuie et a révélé des secrets. Je crois que nous ne la reverrons pas en vie. Elle subira sans doute le même sort que le docteur Asquith. Vous avez eu de la chance de sortir vivante de ce garage.

Il parlait calmement, sans émotion.

— Je le sais, dit Molly.

— À présent, je voudrais que vous écoutiez la conversation que nous avons eue ce matin avec Walter Demming. Mordecai nous a accordé une minute au téléphone avec M. Demming. En échange, nous lui donnons quinze minutes pour prêcher à la radio. Nous lui avons fait apporter, en prime, les journaux qu'il désirait. Nous avons également mis dans le sac des inhalateurs pour Josh Benderson. J'espère qu'il les remettra au gosse... Je crois qu'il y a pas mal d'informations sur cette bande... Vous pourrez peut-être nous éclairer. Mets-la en route, Bryan.

La voix d'Andrew Stein résonna dans les haut-parleurs.

— Monsieur Demming, je suis Andrew Stein, agent spécial du FBI. Comment allez-vous ?

La voix de Demming était basse et contrôlée.

— Je suis vivant et les enfants aussi. J'ai le droit de vous dire ça. Nous sommes nourris, et tous les jours M. Mordecai vient nous enseigner. Il a dit que je pouvais vous envoyer des messages de la part des enfants. Voilà : Kimberly souhaite un bon anniversaire à sa mère. Elle l'aime beaucoup ainsi que sa grand-mère. Bucky se demande si son petit frère Danny dort dans sa chambre depuis qu'il est parti. Lucy dit que sa mère doit embrasser Winky et qu'elle veut rentrer à la maison et ne plus jamais partir. Josh dit que sa mère ne doit pas se faire du souci et que les purées de pommes de terre et le pain sucré de son père lui manquent. Hector dit à sa tante Emily et son oncle Theo qu'il est impatient de monter le vieux Riddle plus loin que les invités peuvent galoper. Brandon envoie la paix divine qui dépasse tout entendement à son papa et aimerait avoir un livre de prières. Sandra dit à Mme La Ponte, la bibliothécaire de l'école, qu'elle lit *Stuart Little* tous les jours et que c'est son livre favori. Conrad demande à la Deuxième Église baptiste de prier pour lui. Sue Ellen dit qu'elle aime toute sa famille. Philip dit qu'il veut rentrer à la maison. Heather dit bonjour maman, sois sage, et plein de bisous.

« Et voici mon message : dites à mon ami Jake Alesky de transmettre mes amitiés à Granny Duck. Dites-lui que je garde à l'esprit ce qu'elle m'a enseigné sur la survie et que je suis son exemple.

La voix de Walter Demming se tut. Aussitôt, Stein prit la relève.

— Monsieur Demming, nous travaillons vingt-quatre heures sur vingt-quatre à votre libération. Nous ne vous oublions pas. Comment va Josh Benderson ?

— OK. Ils ont dit que je pouvais…

— Vous avez dépassé votre minute, interrompit une nouvelle voix. Nous venons de jeter notre bande vidéo par la porte principale. Envoyez l'un de ces reporters la ramasser. Les mains sur la tête…

La communication s'interrompit brusquement.

Lattimore regarda sa montre.

— Nous avons fait chercher Jake Alesky. Ils seront là d'une minute à l'autre. Nous voudrions savoir qui est Granny Duck.

— Moi aussi, dit Molly.

— Quelque chose vous a frappée dans les messages des gosses ?

— Celui d'Hector est bizarre.

— Vous ne connaissez pas encore le reste, grimaça Lattimore. Nous avons rassemblé tous les parents, avec des psychologues, à l'Église luthérienne de Round Rock. Nous leur avons passé la bande. Les parents d'Hector ont dit qu'il n'avait pas de tante Emily, ni d'oncle Théo, ni de cheval nommé Riddle. Ils ne comprennent rien à son message. Les autres parents non plus. Donc Demming n'a pas mélangé le message d'Hector avec celui d'un autre enfant.

— Qu'est-ce qu'il dit exactement ?

— Bryan, donnez une copie de la transcription à Mlle Cates.

Molly la lut attentivement.

— Ça vous dit quelque chose, mademoiselle Cates ?

— Non. C'est étrange.

— C'est aussi ce que nous avons pensé, dit Lattimore.

— Attendez ! s'écria Molly.

Une idée lui traversa soudain l'esprit, comme du vif-argent excitant ses neurones.

— Oh, mon Dieu ! Walter Demming fait partie d'un groupe de poésie en compagnie de sa voisine, Theodora Shea. Theo. C'est bien ça ! Et ils étaient en train de lire Emily Dickinson… tante Emily !

Lattimore frappa le mur de ses mains.

— Merde ! La voisine ! Nous lui avons parlé il y a quelques semaines. Un groupe de poésie, hein ?

Il se tourna vers l'homme debout à la porte.

— Curtis, appelez-moi Theodora Shea au téléphone. Ne me dites pas qu'elle n'est pas chez elle. Je la veux tout de suite. Vous la passerez sur les haut-parleurs.

Curtis s'assit devant un ordinateur et enfonça quelques touches sur le clavier. On entendit la sonnerie du téléphone.

Une voix de femme, assurée, répondit.

— Mademoiselle Shea, dit Lattimore dans le haut-parleur près de l'ordinateur. Ici, Patrick Lattimore du FBI. Nous avons parlé ensemble il y a quelques semaines. Nous vous écoutons sur les haut-parleurs de notre poste de commande à Jezreel. Il y a trois autres agents du FBI avec moi. Et aussi le lieutenant Traynor de la police d'Austin et Mlle Molly Cates, que vous avez rencontrée, je crois.

— Oui, monsieur, répondit-elle d'une voix ferme.

— Mademoiselle Shea, nous avons parlé brièvement à Walter, au téléphone, ce matin.

— Oh, mon Dieu !

— Il a dit qu'ils étaient tous vivants et il a répété quelques messages des enfants à leurs parents. L'un de ces messages est incompréhensible. Mlle Cates pense que vous sauriez peut-être l'interpréter.

— Essayons toujours.

Il lui lut la transcription :

— « Hector dit à sa tante Emily et à son oncle Theo qu'il est impatient de monter le vieux Riddle plus loin que les invités peuvent galoper. »

Theodora dit sans hésiter une seconde :

— Pas *invités*, monsieur Lattimore. *Deviner*. « Plus loin que *deviner* peut galoper, plus loin que Riddle monte... » C'est Emily Dickinson... Le poème qui commence ainsi : « Plus bas que la lumière, plus bas,/Plus bas que l'herbe et la boue,/Plus bas que blatte en son trou,/Plus bas que racine de trèfle. »

— Jésus-Christ ! s'exclama Lattimore. Sous l'herbe et la terre...

— Je ne connais pas tout le poème par cœur, mais il s'achève par ce vers superbe : « Ô pour un disque dans la distance,/Entre nous et les morts. »

— J'ai besoin d'une copie de ce poème — en vitesse ! dit Lattimore. Curtis, voyez si vous pouvez l'avoir sur l'Internet. Mademoiselle Shea, quel est le titre ?

— Les poèmes d'Emily Dickinson n'ont pas de titre. Ils sont numérotés. Vous dites que Molly Cates est parmi vous ?

— Oui.

— Je lui ai donné le livre complet des poèmes d'Emily Dickinson pour remettre à Walter. Ce poème y figure. Molly, vous l'avez ?

— Non. Je l'ai laissé à la maison, dit Molly.

184

— Bon, si vous attendez une minute, dit calmement Theodora, je le retrouve et je vais vous le lire… Une minute !

— Enregistrez ça, Holihan, ordonna Lattimore. Curtis, essayez encore sur le Web…

— Voyons si j'arrive à le trouver, dit la voix de Theodora au téléphone… J'ai oublié le numéro… Ah ! le voici. N° 949. Êtes-vous prêts ?

— Oui, allez-y, dit Lattimore. Nous vous enregistrons, mademoiselle Shea.

Theodora lut lentement le poème d'une voix claire :

> *Plus bas que la lumière, plus bas,*
> *Plus bas que l'herbe et la boue,*
> *Plus bas que racine de trèfle,*
> *Plus bas que blatte en son trou,*
>
> *Plus loin que bras déployé*
> *Fût-il bras de géant,*
> *Plus loin que rai de soleil*
> *Le jour durât-il l'an,*
>
> *Plus haut que la lumière, plus haut,*
> *Plus haut que l'arc de l'oiseau —*
> *Plus haut que cheminée de comète —*
> *Plus haut que tête de toise,*
>
> *Plus loin que chevauchée d'énigme*
> *Plus loin que galop de clé —*
> *Ô pour un disque dans la distance*
> *Entre nous et les morts !*

— Mademoiselle Shea, demanda Lattimore, que comprenez-vous dans ce message ?

— La première chose qui vient à l'esprit, bien sûr, est qu'ils sont retenus prisonniers sous terre. Walter essaie de vous faire savoir où ils sont afin que vous puissiez venir les secourir avant qu'il ne soit trop tard. J'espère de tout mon cœur que c'est ce que vous ferez, monsieur Lattimore. Sans plus attendre.

— Nous allons faire de notre mieux. Restez chez vous près de votre téléphone, mademoiselle Shea. Nous pouvons encore avoir besoin de vous. Vous êtes prête à faire ça pour nous ?

— Certainement.

— Merci.

Lattimore fit signe à Curtis de couper la communication.

— Transcrivez ça tout de suite, Curtis, afin que nous ayons tous une copie.

Grady Traynor s'adressa à Molly.

— Pendant qu'il fait ça, Molly, c'est le moment de nous communiquer vos informations.

— Comment ? dit Molly, surprise.

— Les circonstances de la naissance de Donnie Ray Grimes. Je leur ai déjà donné le topo principal. Donnez-nous les détails.

Molly le regarda fixement.

— Vas-y Molly ! Il n'y a plus de temps à perdre.

— OK, dit-elle, épuisée tout d'un coup. Est-ce que je peux m'asseoir quelque part ?

Grady désigna le vieux fauteuil. Molly s'y laissa tomber. Elle s'adressa directement à Patrick Lattimore.

— D'accord. Hier, j'ai parlé à Dorothy Huff.

— La grand-mère, dit Lattimore.

— Oui. Elle m'a dit que Donnie Ray avait été adopté, tout bébé, par Evelyn Grimes.

— Je ne comprends pas comment nos services ont laissé passer ça, dit Lattimore, les sourcils froncés.

— J'ai les papiers qui le prouvent, dit Molly.

Ensuite, elle raconta en détail sa conversation avec Dorothy Huff, la découverte par Traynor du rapport de police, sa rencontre avec Hank Hanley et son entretien avec la gouvernante de la maison des Pi Alpha Oméga. Encouragée par le silence attentif de son auditoire, Molly continua.

— Thelma Bassett croit que la mère est une obsession chez Samuel Mordecai. Je le pense aussi. Il a cherché désespérément à retrouver sa vraie mère. C'est très important pour lui. Si nous retrouvions l'identité de cette femme, je suis sûre que cela nous donnerait une monnaie d'échange.

— Peut-être, dit Andrew Stein, l'air pensif. Dieu sait que nous n'avons pu le tenter avec quelque chose jusqu'à présent. Que comptiez-vous faire ensuite ?

— J'ai emporté la liste des étudiantes de l'université d'été de 1962. J'en ai trouvé deux qui habitent Austin. L'une d'elles, Nancy Saint Claire, était responsable des activités du club. J'ai pensé l'appeler pour prendre un rendez-vous.

— Que voulez-vous lui demander ? dit Stein.

— Eh bien, je pensais lui dire que je recherche la mère d'un homme qui désire désespérément obtenir cette information ; que nous pensons que la mère est une Pi Alpha Oméga qui était à l'université pendant l'été 62. Et je lui demanderai, enfin, si elle avait eu connaissance d'une grossesse parmi les étudiantes, à cette époque.

— C'est bien... proche de la vérité, en tout cas, dit Lattimore. Mais il nous reste si peu de temps que ça ne vaut peut-être pas la peine de s'en occuper. Qu'en pensez-vous, tous ? Une femme qui a gardé le secret pendant tout ce temps ne sera pas prête à le divulguer aujourd'hui. Et Grimes a peut-être d'autres obsessions... Est-ce que ça vaut le coup ?

Il regarda autour de lui.

— Si ça n'enlève rien à nos autres efforts, dit Stein, ça vaut la peine d'essayer.

— Absolument, dit Grady. Nous pourrions laisser Mlle Cates tenter sa chance.

— Voulez-vous essayer ? demanda Lattimore en regardant Molly de ses yeux froids. Sinon, je peux envoyer Holihan.

Molly observa Bryan Holihan avec sa carrure de footballeur, son nez retroussé et sa tête carrée.

— Laissez-moi essayer. Si je n'aboutis à rien, vous pourrez toujours prendre le relais.

Lattimore chercha du regard l'approbation des autres. Curtis haussa les épaules et Andrew Stein dit :

— Je crois qu'il est plus probable qu'une femme avouerait un tel secret à Mlle Cates qu'à Holihan.

Lattimore soupira.

— Nous n'avons pas parlé de l'aspect confidentiel de cette conversation, mademoiselle Cates. Je sais que vous êtes journaliste mais je dois vous informer que tout ce qui s'est dit dans cette pièce en votre présence est interdit à la publication.

— Je n'ai pas l'intention d'écrire là-dessus, dit Molly.

Grady s'éloigna du mur contre lequel il s'appuyait.

— Lattimore, je ne sais pas si vous vous en rendez compte, mais vous avez de la chance que vos couilles soient encore intactes ! Molly Cates n'est pas une femme à qui on impose ses volontés...

— Je n'impose rien du tout, dit Lattimore qui se retourna vers Molly. Pardonnez-moi d'avoir été trop péremptoire. Je voulais seulement que vous sachiez comment nous traitons ces affaires.

— Je suis heureuse de l'apprendre, dit Molly. Mais supposons que je me fasse pendant un instant l'avocat du diable… Comment pourriez-vous m'en empêcher si je voulais écrire sur ce sujet ?

— Nous ne pourrions pas vous en empêcher. Mais nous nierions tout. Et nous ferions de votre vie un enfer après la publication de vos articles.

— Comment ça ?

— Pour commencer, le fisc vérifiera chaque détail de votre déclaration de revenus pendant ces huit dernières années… Et nous ferons la même chose pour votre magazine, en prévenant le directeur que vous en êtes la cause… Je continue ?

— Non, je suis convaincue, dit Molly avec un petit sourire forcé. Peut-être que le fisc serait une arme à utiliser contre M. Mordecai…

— Oh, nous avons essayé ça dès le début. En général, les gens réagissent immédiatement, mais Mordecai n'a pas bronché. Lorsque l'on croit vraiment à la fin du monde, les impôts ont moins d'impact…

— Si Mlle Cates dit qu'elle n'écrira rien sur ce qui se passe ici, on peut la croire, dit Grady Traynor. Mais en tenant compte de l'agression qui a eu lieu ce matin et de la vengeance implacable du Glaive de la main de Dieu, elle a besoin… d'une protection rapprochée.

— Absolument, dit Lattimore. Holihan est à partir de maintenant votre meilleur ami, mademoiselle Cates. J'ai appris que votre camionnette a été abîmée, il vous escortera donc dans une voiture banalisée. Curtis, opérez votre magie sur l'ordinateur et trouvez-nous tous les renseignements possibles sur Nancy Saint Claire. Et, Curtis, à vitesse grand V…

13

Il est plus sûr de croire. Si tu t'es trompée, rien n'est perdu. Mais si tu choisis de ne pas croire et que tu t'es trompée, tu le paieras cher...

Harriet CATES CAVANAUGH à sa nièce.

UN SILENCE PESANT envahit la pièce quand Jake Alesky fit son entrée dans son fauteuil roulant. Lattimore alla vers lui et se pencha pour lui serrer la main.

— Monsieur Alesky, je suis Patrick Lattimore. Merci d'être venu. Je regrette toute cette hâte et ce secret, mais le temps presse.

— Je ferais n'importe quoi pour aider Walter, dit Jake.

— Nous lui avons parlé au téléphone ce matin. Il vous a envoyé un message. Je vais vous faire entendre l'enregistrement.

Il fit signe à Holihan.

Molly observait la réaction d'Alesky. Quand il fut question de Granny Duck, sa mâchoire se contracta.

— Bon Dieu ! murmura-t-il.

À la fin de la bande, il porta sa main à son front comme pour se protéger contre une réverbération trop intense.

— Nous savons, dit Lattimore, que Walter Demming n'a ni grands-parents ni parents encore en vie. Alors qui est Granny Duck ?

Jake ouvrit la bouche mais aucun son n'en sortit. C'était comme s'il avait le souffle coupé.

— Est-ce qu'on peut vous apporter un verre d'eau ou du café, monsieur Alesky ?

— Oui. Du café noir, s'il vous plaît.

Jake avança son fauteuil en face du plan de l'enceinte sur le mur et se mit à l'étudier.

— Est-il retenu... sous terre ?

Les cinq personnes dans la pièce devinrent attentives, comme des chiens à l'arrêt.

— Pourquoi demandez-vous ça ? interrogea calmement Lattimore.

— Granny Duck, c'est D-U-C en vietnamien. Elle a survécu en restant sous terre. C'était à Trang Loi, en 1968.

— Oh ! dit Lattimore. Un lieu maudit.

— En effet, dit Jake. Ce village était le centre des activités du Viêtcong… Un nid de serpents. Des armes et des approvisionnements cachés dans les tunnels et les trous, des Viêts derrière chaque arbre, des pièges, des mines partout.

Il s'interrompit, s'efforçant de contrôler sa respiration. Tous étaient silencieux, attendant qu'il continue.

— Cette vieille femme — Granny Duc — a été la seule personne ayant survécu à la destruction de Trang Loi. L'ultime survivante.

Holihan revint et tendit un gobelet en polystyrène à Jake.

— Merci, dit Jake en sirotant le café brûlant. Granny Duc s'est cachée dans l'un des tunnels sous le village. D'autres gens étaient cachés là aussi, mais ils sont sortis trop tôt… Après que le bombardement a cessé, mais pendant que nous étions encore dans l'humeur de… tuer. Vous comprenez ?

Alesky regarda autour de lui.

— Oh oui, dit Lattimore. J'ai fait un tour dans le coin en 1969.

Les deux hommes échangèrent un regard de connivence.

— Granny Duc n'est remontée à la surface que deux jours plus tard… Nous l'avons laissée vivre. Nous en avions assez… Je pense que Walter vous envoie un message. Il restera sous terre quoi qu'il arrive. Je crois qu'il veut que vous attaquiez le camp retranché… Pendant ce temps-là, il protégera les enfants, sous terre, le temps qu'il faudra.

Lattimore arpentait la pièce. Il s'approcha de Jake devant le plan de l'enceinte des jezreelites.

— Monsieur Alesky, le tunnel où Granny Duc se cachait… il était sous le village ?

— Oui, l'entrée se trouvait sous une trappe au niveau du plancher, cachée sous un gros container.

Le cerveau de Molly carburait à trois cents à l'heure. On ne lui avait pas demandé son avis, mais son intuition était si forte qu'il lui fallait la communiquer.

— Je pense qu'ils sont sous la grange, dit-elle. Parce que

c'est un lieu consacré. Où Mordecai les purifie. Comme il l'a fait pour les bébés… Pendant cinquante jours.

Lattimore suivit du doigt le plan de la grange.

— Si vous avez raison, dit-il, nous accroissons de dix pour cent nos chances de les sortir de là vivants… Nous nous focaliserons sur la grange et neutraliserons tous ceux qui s'y trouvent… Qu'en pensez-vous, Andrew?

Stein ferma les yeux et remua la tête pour relaxer son cou.

— Je suis de l'avis de Mlle Cates. S'ils sont sous terre — et je pense qu'ils le sont —, c'est sous la grange. D'abord, pour une raison pratique. Les jezreelites peuvent leur apporter à manger du bâtiment principal par ce couloir en bois grossièrement assemblé. Deuxièmement, la lecture du poème donne des associations intéressantes. Par exemple, « Plus bas que blatte en son trou » suggère l'idée des insectes qui vivent sous terre… De toute façon, la grange est la plus vaste structure dans le camp, dont le sol est vraisemblablement en terre.

Molly considéra Stein avec admiration. Il avait de l'intuition et n'hésitait pas à s'en servir.

— Eh bien, dit Lattimore, l'agrégé en littérature a parlé!

— Je suis d'accord avec Andrew, dit Grady Traynor. Mais même si les enfants sont sous la grange, le commando d'assaut n'arrivera pas à parcourir le terrain à découvert à temps pour empêcher Mordecai de descendre égorger les otages. Mme Grimes était en train d'évoquer ce problème quand elle a été si brutalement interrompue.

— Ne pouvez-vous pas le descendre? demanda Jake.

— Monsieur Alesky, dit Stein, nous ne demandons que ça. Mais ce lâche salopard s'est bien gardé de traverser la ligne de mire de nos tireurs d'élite pendant ces six semaines. C'est bien dommage. Je ne souhaite qu'une chose : que nous trouvions le moyen de le débusquer.

Il regarda Lattimore avec une intensité qui entraîna Molly à se poser des questions sur le secret qu'ils partageaient.

Jake écoutait attentivement.

— Je voudrais ajouter ceci, dit-il. Walter sait mieux que nous ce qui se passe à Jezreel. Il déteste la violence. S'il vous invite à donner l'assaut, c'est qu'il sait que la négociation ne servira à rien.

Lattimore hocha la tête.

— Agents Stein, Curtis, Holihan et lieutenant Traynor, je vais vous tenir le discours d'un entraîneur avant le match… Ce Walter Demming est un mec formidable. Il n'est qu'un civil, un chauffeur de car scolaire ! S'il est capable de nous envoyer des messages codés pendant qu'il est sous la menace des revolvers et que, *en plus*, il s'occupe de onze gosses, nous, l'élite, les agents choisis du FBI — et de la police d'Austin —, nous devrions être capables de trouver une solution pour répondre à son attente. Non pas une pulsion hormonale, une attaque à la western, qui le fera glorieusement tuer, lui et les enfants, mais un plan élégant et subtil qui leur donnera les meilleures chances de survie.

Il fixa chaque homme droit dans les yeux.

— Et ce plan, il faut le trouver aujourd'hui même !

Personne ne dit mot. Lattimore enleva la serviette de son cou et la jeta dans un coin.

— Alors, bougeons-nous le cul ! Curtis, avez-vous trouvé Nancy Saint Claire ?

— Oui monsieur, dit Curtis en souriant. Elle est agent immobilier et possède sa propre agence. Elle conduit une Lexus argentée, modèle 94. Elle porte des verres de contact. Elle mesure un mètre soixante-dix, pèse cinquante-cinq kilos, et elle a cinquante-trois ans. La maison qu'elle et son mari possèdent à Rob Roy est à vendre pour un million huit. L'année dernière, elle leur a coûté trente-six mille dollars d'impôts. Ils ont un excellent crédit auprès de leur banque. J'ai quatre numéros de téléphone pour elle. Voulez-vous qu'on essaie de la joindre ?

— Mademoiselle Cates, dit Lattimore, vous êtes encore parmi nous ? Vous avez eu une dure matinée et vous êtes ici en tant que volontaire. Vous pouvez tout lâcher quand vous le voudrez. Mais le lieutenant Traynor dit que vous êtes douée et comme vous nous avez aidés, jusqu'ici je suis prêt à vous laisser continuer avec nous — si vous êtes d'accord.

— Oui, j'aimerais essayer.

— Mais à une condition. L'agent Holihan vous accompagne.

— Pourquoi pas le lieutenant Traynor ? demanda Molly.

— Non, j'en ai besoin ici. Il est notre contrôle… proche de la réalité.

— OK, dit Molly, d'une voix fatiguée.

— Appelez-la, Curtis, dit Lattimore.

Nancy Saint Claire ne se trouvait ni chez elle ni à son bureau. Elle répondit à la première sonnerie de son téléphone de voiture.

— Je m'appelle Molly Cates, madame Saint Claire. J'écris pour le *Lone Star Monthly*. J'aimerais vous parler de quelque chose… c'est très urgent. Est-ce que je peux venir vous voir tout de suite ?

— De quoi s'agit-il ?

— Je ne peux pas en parler au téléphone. Je peux vous rejoindre là où vous allez…

— Eh bien, je me rends à mon bureau. Je suppose que vous pouvez venir là. J'ai un rendez-vous avec un client, mais ça ne prendra que quelques minutes.

Elle donna à Molly son adresse à Northwest Hills et elles se mirent d'accord pour se voir quarante-cinq minutes plus tard.

— Si vous arrivez à un résultat avec cette dame, mademoiselle Cates, je vous engage sur-le-champ ! dit Lattimore.

— J'ai entendu dire qu'il fallait faire des pompes sur le bout des doigts pour s'entraîner chez vous. Je ne crois pas que cela soit dans mes capacités…

— Bonne chance, dit-il. Voyez ce que vous pourrez obtenir.

Tandis que Molly et Holihan partaient, Lattimore dit à Jake Alesky :

— Monsieur Alesky, puis-je vous demander de nous aider encore ? Nous aimerions que vous restiez avec nous au cas où nous aurions besoin d'approfondir cette histoire de Granny Duc. Je voudrais aussi que vous me racontiez cet épisode plus en détail, si vous voulez bien.

Jake acquiesça, le visage fermé.

Nancy Saint Claire était une femme plantureuse, très soignée de sa personne. Elle portait un élégant tailleur en soie fuchsia. Son collier, ses boucles d'oreilles et sa montre valaient leur pesant d'or — dix-huit carats. Son bureau témoignait des récompenses accompagnant une brillante carrière. Plaques, prix, photos avec des célébrités. Elle était assise derrière un bureau encombré de papiers.

Molly la salua et présenta Bryan Holihan.

Mme Saint Claire prit la plaque que Bryan lui tendait et l'examina avec curiosité.

— Ma foi, c'est du sérieux ! Agent spécial Holihan du FBI ? (Elle rit.) Qu'est-ce qui se passe ? Je parie que c'est pour M. Withers, n'est-ce pas ?

— Non, dit Holihan en reprenant sa plaque. Qui est M. Withers ?

— Ce n'est pas important. C'est une blague… Asseyez-vous tous les deux.

Elle regarda sa montre.

— Je peux vous accorder vingt minutes avant mon prochain rendez-vous.

— Madame Saint Claire, dit Holihan sur un ton sentencieux, il s'agit d'une importante affaire d'État…

— Agent Holihan, interrompit Molly, c'est une affaire entre femmes. Alors, laissez-nous parler quelques minutes, s'il vous plaît. Madame Saint Claire, je vous remercie de ne nous recevoir si rapidement. Il s'agit de la plus étrange demande que vous ayez entendue…

— N'en soyez pas si sûre ! J'ai reçu un client, la semaine dernière, un cadre supérieur à la retraite, qui recherchait une maison d'un million de dollars d'où l'on puisse apercevoir les pensionnaires d'une église catholique… et il n'avait pas d'enfant.

Elle éclata de rire.

— C'est lui M. Withers… J'ai refusé de traiter avec lui… C'est agréable d'être en situation de pouvoir éconduire des voyeurs à un million de dollars !

Molly sourit.

— J'écris des articles pour le *Lone Star Monthly* mais je ne travaille pas en ce moment, car je ne veux rien écrire sur ce sujet. Il reste très peu de temps, alors je vais aller droit au but. Un homme qui a été abandonné, à sa naissance, en 1962, recherche sa mère naturelle. Nous avons des raisons de penser qu'elle était une Pi Alpha Oméga à l'époque, inscrite à l'université d'été de 1962. Vous étiez là en même temps et vous aviez des responsabilités dans le club. Vous souvenez-vous si l'une des étudiantes était enceinte pendant cet été-là ?

Nancy Saint Claire demeura immobile, le visage figé, pendant quelques secondes. Puis, elle appuya sur deux boutons de l'interphone.

— Rachel, voulez-vous nous apporter du café ? Et quelques biscuits diététiques, ceux dans la boîte rouge.

Elle raccrocha et leur sourit.

— C'est en effet une requête très inhabituelle... Je n'aime pas trop que le gouvernement fédéral se mêle de nos affaires, et depuis quand est-ce qu'une grossesse regarde le FBI ?

— C'est en rapport avec la situation à Jezreel, madame Saint Claire. L'agent Holihan fait partie de l'équipe spécialement venue négocier la libération des otages afin que les enfants puissent en sortir vivants...

Le sourire de Nancy Saint Claire disparut.

— Vraiment ?

— Oui. Nous ne pouvons pas vous en dire plus. Mais c'est une question de vie ou de mort.

— De vie ou de mort pour qui ?

— Les otages.

— C'est fou. Comment est-ce qu'une grossesse — une présumée grossesse — d'il y a trente ans peut influer sur la vie de ces pauvres enfants ? Je ne vois pas le rapport.

— C'est fou, en effet, dit Molly. La réalité est encore plus folle que tout ce que vous pouvez imaginer... Nous avons besoin de connaître tout ce que vous savez. Parlez-nous, je vous en prie.

— Le problème est que c'est pour moi une question d'éthique, de loyauté personnelle, et que cela a toujours plus compté pour moi que le devoir civique. Je crois en la responsabilité sacrée de garder un secret — à supposer que j'en aie un...

— Je suis d'accord avec vous, dit Molly, en général. Mais dans le cas qui nous intéresse, la vie des douze otages à Jezreel compte plus que nos loyautés individuelles.

La porte s'ouvrit et la secrétaire apporta un plateau avec du café et des biscuits au chocolat.

— J'ai oublié de vous demander si vous vouliez du café. Le voilà et je vous recommande les gâteaux — pauvres en calories, et délicieux malgré ça.

Bryan en avala un entier tandis que Molly grignota du bout des dents. Ces aliments à basses calories avaient toujours eu pour elle un goût de foin.

Ils restèrent silencieux pendant que Nancy mangeait deux gâteaux en buvant son café. Finalement, elle dit :

— À cette époque, il était scandaleux d'avoir un enfant en dehors du mariage. J'ai bien peur de penser la même chose aujourd'hui. Vous étiez plus jeune, donc vous ne…

— Pas beaucoup plus jeune, dit Molly, et j'ai la même opinion que vous.

Nancy Saint Claire posa sa tasse de café sur le plateau. Soudain, un éclair de compréhension illumina son regard.

— 1962 ? dit-elle en se penchant en avant. Un bébé né cette année-là aurait trente-trois ans aujourd'hui. Samuel Mordecai a trente-trois ans. Mais a-t-il été adopté ?

Molly fut impressionnée par la vivacité d'esprit de cette femme.

— Quand tout sera terminé, dit-elle, je vous raconterai tout ce que je peux. Maintenant, c'est à vous de parler. C'est demain le dernier jour pour ces enfants… Je vous en prie, dites-moi ce que vous savez.

— Je devrais me faire examiner la tête, dit Nancy doucement. Je n'en suis pas absolument certaine, mais cet été-là, deux étudiantes de seconde année qui habitaient dans la maison du club — elles partageaient la même chambre — sont parties dès le début du trimestre d'été pour emménager dans un appartement en ville. C'était surprenant car elles avaient payé le trimestre d'avance et les frais ne sont pas remboursés. En outre, l'une d'elles était enceinte, mais je ne les ai pas revues de tout l'été et je ne sais donc pas laquelle était dans un état « intéressant », comme on disait en ce temps-là… Mais c'était peut-être une fausse rumeur… Ça arrive, vous savez…

— Comment s'appelaient-elles ? demanda Molly en sortant sa liste.

Nancy Saint Claire poussa un long soupir et dit :

— Montrez-moi votre liste.

Elle parcourut la page et pointa deux noms avec un crayon.

— J'espère que je ne vais pas le regretter, dit-elle en rendant la liste à Molly.

Molly lut les noms marqués :

— Sandy Loeffler et Gretchen Staples.

— Oui.

— Laquelle des deux, à votre avis, était enceinte cet été-là ?

— Oh voyons, mademoiselle Cates ! C'est impossible à dire… C'était trop tôt.

— Vous ne vous souvenez pas d'une taille épaissie, d'une fille qui aurait eu envie de vomir au petit déjeuner ?

— Je regrette. Non. J'étais trop plongée dans ma propre histoire d'amour pour remarquer quoi que ce soit.

Molly sortit l'annuaire des Pi Alpha Oméga et retrouva Sandy Loeffler sous le nom de Sandy Loeffler Hendrick.

— D'après ce bottin, Sandy vit aujourd'hui à San Antonio. Avez-vous eu des contacts avec elle ?

— Non. Je ne pense pas qu'elle soit venue à la réunion l'année dernière.

Molly vérifia que Gretchen Staples portait toujours son nom de jeune fille.

— Et Gretchen, qui habite Santa Fe actuellement ?

— Elle était présente à la réunion. Elle peint, ou elle a une galerie — quelque chose en rapport avec l'art. Je lui ai parlé brièvement. C'est tout ce que je sais.

— Pourriez-vous me décrire à quoi elles ressemblaient quand elles étaient étudiantes ?

— Voyons voir… Gretchen était une grande fille comme moi, un visage plein, une belle peau, de longs cheveux noir brillants. Resplendissante de santé.

— Et la couleur de ses yeux ?

— Je ne m'en souviens pas.

— Comment étaient ses dents ?

— Un peu irrégulières, je crois.

— Est-ce que ses cheveux étaient naturellement bouclés ?

— Il s'agit donc de Samuel Mordecai ! s'exclama Nancy Saint Claire… Non, les cheveux de Gretchen étaient raides comme des bâtons. Nous en étions toutes jalouses.

— Et Sandy ? demanda Molly.

— Elle avait les cheveux bouclés, presque frisés, dit Nancy en rougissant. Blond cendré. Elle était mince et toujours en forme. Elle faisait de la gym et de la musculation quand ça n'était pas encore à la mode. Elle avait des yeux gris-bleu. Des traits fins.

— Et sa dentition ?

— Parfaite. Sans correction orthodontaire, je crois. Sandy était très belle. Je me demande ce qu'elle est devenue maintenant.

197

— Vous n'avez pas de photos ?

— Non, malheureusement, j'ai perdu mon album au cours de nos nombreux déménagements.

Molly se leva en tendant la main.

— Merci infiniment. Je sais que c'était pour vous une décision difficile à prendre. Je suis désolée de vous avoir mise devant ce choix moral délicat…

— J'espère surtout que cela ne va pas nuire à ces deux filles !

— Je ferai de mon mieux pour que cela ne soit pas le cas, dit Molly.

Elle retourna à la voiture avec Holihan qui se plaignit de la présence du chien sur le siège arrière, arguant qu'il était allergique aux poils. Molly lui dit d'ouvrir les fenêtres.

Holihan envoya les noms des deux femmes par radio à Curtis. Lattimore décida que Molly et Holihan devaient partir immédiatement pour San Antonio afin de parler à Sandy Loeffler Hendrick. Pendant ce temps, un agent du FBI contacterait Gretchen Staples à Santa Fe. Ainsi, les deux femmes n'auraient pas l'occasion de se concerter.

Bryan se plaignit encore une fois de l'allergie que lui causait le chien.

— Ouvrez les fenêtres, dit Lattimore.

Molly se retint de rire.

Pendant qu'ils roulaient vers San Antonio, Curtis leur communiqua les renseignements qu'il avait obtenus sur Sandy Hendrick. Elle mesurait un mètre soixante-douze, pesait cinquante-quatre kilos, possédait une Jeep Cherokee 94 et une Lexus ES 300 93. Son mari était avocat. Ils avaient eu deux filles, adultes, qui n'habitaient plus chez leurs parents. Ils avaient une maison sur les hauteurs d'Alamo qui leur coûtait douze mille dollars de taxes par an. Le casier judiciaire de Sandy n'était pas vierge : cinq arrestations et une condamnation pour conduite en état d'ivresse durant les dix dernières années. En 1990, son permis de conduire avait été suspendu pour un an.

Ils s'arrêtèrent une fois en route pour promener Copper et s'acheter des hamburgers. En arrivant à San Antonio, la radio émit les craquements familiers. C'était Lattimore.

— J'ai une mauvaise nouvelle, dit-il. Très mauvaise. Annette Grimes est morte. Je suis désolé, Molly.

Molly eut un haut-le-cœur.

— Elle est morte comment ?

— Elle a été égorgée. On l'a trouvée pendue, la tête en bas, nue, dans un entrepôt vide sur Burnett Road. Ils n'ont même pas refermé la porte. Un passant l'a aperçue.

— Encore une statue de sang…, dit Molly.

— Le lieutenant Traynor s'est rendu sur le lieu du crime. Le meurtre est identique à celui d'Asquith. Quand nous en aurons terminé avec vous, la police d'Austin veut vous voir. Demain matin à la première heure, si ça vous va.

— Mais je n'ai plus rien à leur dire.

— Molly, je ne veux pas vous paniquer, mais Traynor dit qu'Annette a sans doute été torturée avant de mourir. Ça signifie qu'elle leur a avoué ce qu'elle vous a dit. Ces soi-disant Glaives de la main de Dieu seront à vos trousses.

Molly ne répondit pas. Elle se demanda jusqu'où le Glaive de la main de Dieu allait étendre ses représailles pour faire d'autres statues de sang.

— Monsieur Lattimore, je m'inquiète au sujet de sœur Adeline Dodgin à Waco. C'est elle qui m'a parlé de Gerald Asquith et de cette histoire du Ravissement de Mordecai. Je ne veux pas qu'elle devienne aussi une statue de sang.

— L'un de nos agents locaux veille sur sœur Dodgin depuis que vous m'avez parlé d'elle. Holihan, ne quittez pas Mlle Cates d'une semelle.

— Monsieur, c'est à elle qu'il faut le dire.

— Mademoiselle Cates, si vous menez la vie dure à Holihan, je vous vire !

Molly se retourna pour regarder le chien qui passait la tête par la fenêtre. Elle étendit le bras et tapota son maigre arrière-train.

— Copper, je crois que je ne t'ai pas remercié !

Le chien rentra la tête et la regarda.

— Mais oui, mon vieux… Je te dis merci !

Holihan éternua.

14

Il n'y a pas d'athées dans les gourbis.

William Thomas CUMMINGS,
sermon de campagne, BATAAN, 1942.

WALTER restait silencieux. Kim et Lucy se parlaient à voix basse et Bucky jouait avec son Power Ranger. Philip était assis tout droit, se couvrant le visage de ses mains. Les autres paraissaient distants et préoccupés depuis son coup de téléphone au monde extérieur, tout à l'heure. C'était l'heure du coucher et Walter se sentait épuisé.

Les enfants avaient voulu connaître chaque détail de ses dix minutes à la surface de la terre. Il leur avait tout raconté, des dizaines de fois, mais ils en voulaient toujours plus. C'était particulièrement difficile de rester cohérent, car il n'avait pas tout dit dans sa première version. À présent, il comprenait pourquoi les flics interrogeaient les suspects en les faisant répéter inlassablement leur histoire initiale. Ce n'était pas facile de mentir intelligemment, même à des gosses, au sujet de ces sacrées dix minutes. Ils l'avaient déjà surpris dans un mensonge à propos de sa blessure à la tête qui saignait encore. Ils n'avaient pas cru sa première version : il avait trébuché et s'était cogné la tête contre un classeur métallique. Et ils étaient méfiants vis-à-vis de la deuxième qui disait que Martin l'avait frappé parce qu'il ne marchait pas assez vite.

Josh s'était penché en avant, le dos rond, dans sa posture de crise. Il étouffait.

Walter saisit la serviette qui séchait sur le volant et versa dessus le contenu du Thermos. Il l'apporta à Josh, auprès duquel Kim venait de s'asseoir. Elle lui massait le cou. Elle plia la serviette trempée et la donna à Josh qui y plongea son visage. Cela relevait plus d'un rituel magique que d'une méthode scientifiquement éprouvée, mais semblait soulager un peu le garçon.

— Est-ce qu'ils étaient là, avec le type du FBI ? demanda-t-elle à Walter.

200

— Qui ? Tes parents ? Je ne sais pas Kim, mais je suis sûr qu'ils ont reçu ton message immédiatement. Ils savent maintenant que vous allez bien.

— Comment est-ce à l'intérieur de la maison ? demanda Conrad. C'est là qu'habitent Martin et M. Mordecai ?

— La maison est grande, dit Walter. Ça ressemble à un hôtel décrépit et mal construit qui a besoin d'être repeint. Mais j'avais du mal à voir parce qu'ils ont masqué les fenêtres avec des draps et des couvertures. Et il y a peu de lumières allumées..., je vous l'ai déjà dit, je crois. Je ne sais pas si Martin et M. Mordecai habitent là. Mais j'ai vu d'autres personnes, une vingtaine environ, groupées dans la salle centrale. Le téléphone se trouve dans une petite pièce qui leur sert de bureau, je crois. C'est là qu'ils m'ont conduit et qu'ils m'ont fait asseoir à une table.

— C'est à ce moment-là que Martin t'a frappé avec la crosse de son revolver ? demanda Hector.

— Non, c'était plus tard. En sortant.

— Ils te visaient tout le temps avec leurs armes ? Il n'y avait que deux mecs ?

— Oui, ils étaient deux — Martin et ce type chauve — jusqu'à ce que Mordecai arrive. Alors, ils étaient trois. Et ils pointaient leurs revolvers sur moi tout le temps.

Walter n'ajouta pas que cela n'avait pas d'importance car il leur aurait obéi de toute façon : Martin l'avait prévenu que s'il disait ou faisait la moindre chose qui n'était pas autorisée — qu'ils désapprouvaient —, ils iraient chercher l'un des gosses et lui tireraient une balle dans la tête.

— Répète encore une fois ce qu'il a dit, le type du FBI..., demanda Conrad.

— Son nom est Andrew Stein. C'est le même homme à qui j'ai parlé la première fois. Il m'a dit qu'ils pensaient à nous et qu'ils font tout ce qu'ils peuvent pour notre libération. Je suis très encouragé. Il doit y avoir du progrès, puisqu'on m'a laissé parler.

— Mais pourquoi ne *font-ils* pas quelque chose ? dit Sandra.

— Est-ce qu'ils vont venir nous chercher ? demanda Kim.

— Je le pense, dit Walter. Je suis sûr qu'ils travaillent sur un plan pour nous libérer. Peut-être donner aux jezreelites quelque chose en échange. Voici ce que je crois qui arrivera : le FBI et la police viendront nous chercher. Il y aura une bagarre avec beaucoup de bruit et sans doute des coups de fusil. Vous le savez. Alors, il nous faut exercer notre plan d'urgence de façon à être prêts. Il faut leur faciliter la tâche, c'est-à-dire nous tenir à l'écart et les laisser faire leur travail.

— Quelle sorte d'armes ont-ils là-haut ? demanda Hector.

— Je n'ai pas eu le temps de les étudier, Hector. Mais j'ai vu beaucoup de fusils et de masques à gaz. Ça signifie qu'ils pensent à une attaque avec des gaz lacrymogènes. Ça veut dire aussi que nous devons ajouter quelque chose à notre exercice au cas où le gaz nous atteindrait ici. Il faudra ôter nos chemises, les tremper dans l'eau, et nous envelopper la tête avec comme le fait Josh.

Walter ne leur dit pas que la maison était une véritable place forte avec assez d'armes, de grenades et de munitions pour soutenir un siège contre une armée. Des bottes de paille avaient été placées sous chaque fenêtre et des sacs de sable à la porte d'entrée.

Mais ce n'était pas les armes, les bottes de paille et les masques à gaz qui avaient rendu Walter fou. C'était les quatre inhalateurs qu'il avait aperçus en entrant dans la pièce du téléphone. Ils étaient posés sur une pile de journaux.

— Ils sont pour Josh ? demanda Walter en les désignant du regard.

— Assis, dit Martin en pressant le canon de son revolver contre la tempe de Walter. Nous n'utilisons pas de drogues ici... Surtout pendant la purification...

— Mais ça ressemble à...

— Silence ! Tu es venu faire quelque chose ici. Allons-y ! dit Martin. Tu es ici pour parler pendant une minute au téléphone. Le prophète Mordecai arrive. Il veut t'écouter.

Walter détourna à regret ses yeux des inhalateurs à l'entrée de Mordecai. Celui-ci s'était rasé et avait lavé ses cheveux encore humides. Il avait l'air de sortir de la douche. Cela donna à Walter le désir intense de faire couler des flots d'eau chaude sur son corps courbaturé et sale.

Mordecai prit le téléphone posé devant Walter.

— Stein ? Le voici, dit-il. Vous avez une minute.

Walter lut les messages d'une voix monocorde, à la vitesse à laquelle il s'était exercé, essayant de tout rendre banal et innocent. Mais ses mains tremblaient si fort qu'il dut poser la feuille sur la table pour la lire.

Après le coup de téléphone, Walter leva les yeux vers Samuel Mordecai.

— Prophète Mordecai, dit-il, je vous en prie… Laissez-moi apporter ces inhalateurs à Josh !

Mordecai adressa à Walter son sourire de star de cinéma.

— Encore accroché aux petits ennuis terrestres, monsieur le conducteur de car ? Vous êtes le genre d'homme à se préoccuper de laver le linge sale au beau milieu de la grande bataille d'Armageddon !

— Mais ça ne peut pas faire de mal, insista Walter. Ça calmera les gosses. Ils deviennent très perturbés quand Josh a ses crises d'asthme.

Le sourire de Samuel Mordecai resta figé sur son visage. Walter risqua le tout pour le tout.

— Je sais que la fin est proche. Ça sera plus facile pour nous tous si vous me laissez ramener ces inhalateurs dans le car…

Mordecai jeta un coup d'œil sur les inhalateurs, puis il regarda Martin par-dessus l'épaule de Walter et fit un signe de tête.

Le cœur de Walter battait à se rompre. Samuel Mordecai donnait la permission.

C'est à ce moment que Martin l'assomma avec la crosse de son revolver. Walter vit des milliers d'étoiles. Il tituba et se rattrapa en s'agrippant au bureau. Il ne s'aperçut qu'après être rentré dans le car que le sang avait coulé jusque sur sa chemise.

Il n'avait pu se résoudre à rapporter l'incident aux enfants. Cela leur aurait donné l'image si péniblement vraie d'un monde implacable et cruel, indifférent à la souffrance humaine, qui lui glaçait le cœur.

— Qu'as-tu vu encore dans la maison ? demanda Lucy. Y a-t-il des mères avec leurs enfants ? Des enfants de notre âge ?

— J'ai vu des femmes mais pas d'enfants.

— Ils sont peut-être à l'école, dit Lucy aux autres. C'est un jour de classe n'est-ce pas ?

— Oui. Mercredi, dit Walter, ils sont sans doute à l'école.

— Mais peut-être que les enfants qui vivent ici, dit Lucy d'une voix tremblante… peut-être qu'ils sont enterrés comme nous. Ils sont peut-être dans notre autocar à nous dans lequel nous sommes arrivés… Peut-être qu'ils sont aussi des agneaux choisis…

— Imbéciles !

La voix enrouée venait de l'arrière du car. Tout le monde se retourna pour voir Philip Trotman, qui n'avait pas dit un mot depuis dix jours, à genoux sur son siège, le nez et les yeux rougis d'avoir tant pleuré.

— Lucy, tu es si bête ! Il va nous tuer. C'est pour ça que nous sommes ici. Il va nous tuer et vous le savez tous… Il nous appelle les agneaux, les premiers-nés. Je vais au catéchisme… Dans la Bible, les agneaux sont tués et ensuite brûlés… en sacrifice. Et en Égypte, les premiers-nés ont tous été tués en une nuit !

Ils demeurèrent tous silencieux. Lucy avait l'air d'avoir reçu une gifle.

Josh commença à tousser puis à haleter, en proie à une violente crise d'asthme. Kim enveloppa son visage de la serviette mouillée en le consolant et l'entourant de son bras.

Walter se dirigea à l'arrière jusqu'au siège où Philip se tenait encore à genoux. Il s'assit et prit le garçon contre lui en le berçant doucement sur ses genoux. Le corps maigre de Philip était rigide dans ses bras. Walter se pencha à son oreille et murmura :

— Philip, c'est si bon d'entendre ta voix de nouveau. Continue à parler. Je ne sais pas ce qui va nous arriver. C'est peut-être toi qui a raison… Mais continue à parler… Quoi qu'il arrive, nous serons ensemble.

Les sanglots de Philip furent étouffés par les halètements rauques de Josh. Walter lâcha Philip en entendant Josh émettre un gémissement si aigu que c'en était un cri de détresse. Il se tourna encore une fois vers Philip.

— Nous resterons ensemble dans cette galère. Je te le promets. N'arrête surtout pas de parler. Je reviens près de toi dès que j'aurai examiné Josh.

Josh était penché en avant, ses mains serrant ses genoux, les épaules levées. Kim, assise à côté de lui, fredonnait doucement sans le toucher. Walter savait qu'on ne pouvait toucher l'enfant quand la crise était aiguë.

— Josh, mon grand, veux-tu un verre d'eau ?

C'était tout ce que Walter avait à offrir.

Josh secoua la tête avec impatience. Il concentrait toute son énergie à essayer d'aspirer assez d'air dans ses poumons. Walter savait que Josh n'était plus en état de parler ni de faire autre chose que lutter pour rattraper le peu de souffle qui lui restait. Lorsqu'il était en proie à une crise d'asthme exacerbée, il semblait possédé. Il refusait de perdre une once d'énergie sur autre chose que la prochaine inspiration.

Les autres gosses restaient figés sur place, silencieux. Ils avaient appris eux aussi qu'il fallait le laisser tranquille. Kim continuait vaillamment à fredonner sa comptine d'une voix tremblante.

Walter parla à voix basse.

— Je suis là, Josh. Ça va passer. Tu sais quoi faire, comment surmonter la crise. Nous sommes tous là avec toi.

Josh rejeta brusquement sa tête en arrière. Il étouffait. Son visage blême était moite de sueur. Ses yeux s'écarquillaient, paniqués.

C'était horrible à voir. Walter avait vu des hommes mourir au Viêt-nam, dans des hurlements de douleur, des flots de sang, des membres arrachés — une vision d'horreur qui le hantait encore. Mais, ça, c'était pis. Regarder ce môme s'étouffer peu à peu, assoiffé d'air, se noyer de l'intérieur, sans pouvoir le sauver. C'était insupportable. Peut-être parce que Josh était si jeune. Peut-être aussi parce que Walter se sentait responsable, impuissant, incapable de lui venir aide.

Josh haletait, la bouche ouverte comme s'il n'y avait pas assez d'air dans le car. Sur le siège à côté de lui, Sue Ellen — que Walter n'avait jamais vue pleurer —, le front appuyé contre la vitre noire, laissait couler silencieusement ses larmes.

Walter sentit une rage incontrôlable monter en lui. J'emmerde tout ça — Samuel Mordecai et son Apocalypse, j'emmerde ce car, cette fosse, cette tombe. J'emmerde Martin, ce rat qui nous traite comme si nous étions déjà morts. J'emmerde ces gosses. J'emmerde ce téléphone dont je n'aurais jamais dû me servir. J'emmerde Josh et ses bronches malades. J'emmerde ces inhalateurs jaunes. J'emmerde le Dieu qui laisse des choses pareilles arriver aux enfants. J'emmerde ce négociateur sans couilles — ce Stein du FBI à la con. Putain, pourquoi ne faisaient-ils pas quelque chose ? Quarante-huit jours ! Qu'attendaient-ils donc ? Pourquoi ne donnaient-ils pas l'assaut ?

S'ils n'attaquaient pas bientôt, il n'y aurait plus que des cadavres à récupérer, ou ces putains de statues de sang dont Mordecai nous rebat les oreilles.

Les halètements rauques, désespérés, de Josh s'accéléraient. Walter prit la serviette des mains de Kim et la trempa dans l'eau. Il la tordit doucement au-dessus de la tête du garçon laissant couler un filet d'eau.

— Josh, imagine que tu es sous une douche chaude, dans la vapeur. Sens-la... C'est ça... Oui, oui... La vapeur s'élève, respire-la. Dans ta gorge. Par le nez. Loin dans ta tête. C'est si chaud. Ça ouvre tout...

Walter tordit plus fort la serviette. L'eau tombait en pluie.

— Tu es trempé... sous la douche... la vapeur monte autour de toi... l'eau chaude tombe en trombes.

Kim regarda Walter, terrifiée.

Maintenant Josh haletait de plus en plus fort. Sa poitrine s'était gonflée comme un petit tonneau, comme si elle allait éclater. Il était rempli d'air mais il n'arrivait pas à l'expulser. Il tremblait de tous ses membres. Il était sur le point d'exploser. Une sorte de râle sifflant sortait de sa bouche.

Walter eut l'impulsion de faire du bouche-à-bouche à Josh, d'aspirer l'air qui ne pouvait sortir et d'inspirer pour lui l'air extérieur. Il l'avait proposé un jour au jeune garçon pendant l'une de ses crises. Josh lui avait ri au nez.

— Écoute, Josh. Peux-tu sentir l'odeur du pain que tu fais avec ton père? Ce pain blanc, tout chaud avec du beurre et du sucre qui fondent dessus... Ouvre tes narines... Josh... Laisse monter l'odeur...

Du fond de sa gorge, les râles de Josh redoublaient d'intensité.

C'était intolérable. Il fallait chercher de l'aide.

Walter se précipita dans la fosse et tapa à coups de poing contre la trappe.

— Au secours! Martin! nous avons besoin d'aide... une urgence! Martin, ouvrez! Je vous en supplie!

Il regarda dans le car pour voir si les enfants ne paniquaient pas. Il ne pouvait pas voir si loin sans ses lunettes.

Maintenant, il paniquait. Il hurla:

— Prophète Mordecai! Venez vite! Josh est très mal... On a besoin de vous... À l'aide! À l'aide!

Toujours pas de réponse.

Walter se dirigea la tête basse vers le car. Il avait échoué. Cette fois, les enfants le savaient. Il n'était bon à rien. Des images défilèrent dans sa tête — Jake avec ses longues jambes, avant Trang Loi, avant Granny Duc. Avant la destruction de leurs vies. Les gosses montant dans le car ce matin-là, chantant joyeusement la ritournelle qu'il détestait tant : « Les vers rampent dedans, les vers rampent dehors... »

Les larmes lui montèrent aux yeux. Il ne pouvait plus les réprimer... Vingt-sept ans de remords refoulés.

Il entendit Kim appeler :

— Monsieur Demming ! Monsieur Demming !

Il se précipita dans le car.

Josh dodelinait de la tête, les yeux révulsés et exorbités. Ses lèvres bleuies s'étaient ouvertes, laissant voir sa langue gonflée. Une tache humide et sombre tachait son jean à la hauteur de l'aine.

Kim, assise auprès du garçon, tremblait en s'entourant de ses bras.

Walter Demming ne savait plus quoi faire. Ses lèvres se mirent à remuer, prononçant tout haut des paroles qui avaient, autrefois, réconforté quelques amis à lui.

— L'atmosphère de Titan est comme l'odeur de pain chaud qui sort de la porte de derrière d'une boulangerie de Terrien, un matin de printemps...

Les gosses horrifiés, le regardaient, sidérés.

— Répétez-le avec moi, dit-il. Allons... « L'atmosphère de Titan est comme l'odeur de pain chaud qui sort de la porte de derrière d'une boulangerie de Terrien, un matin de printemps... »

Quelques enfants se joignirent à lui, la troisième fois. Puis d'autres voix, d'abord hésitantes, finalement entonnèrent en chœur.

— ... « de Terrien, un matin de printemps ».

Walter regarda Josh. Sa tête reposait contre le siège. Son visage était bleu, ses paupières baissées. Il était devenu silencieux.

Walter tomba à genoux auprès du garçon. Une prière qu'il ne croyait même pas connaître encore, remonta à ses lèvres.

— Notre Père qui es aux Cieux (Il n'y croyait pas mais

les mots semblaient venir d'ailleurs.), que ton nom soit sanctifié…

— … que ton règne arrive, entonnèrent les enfants, que ta volonté soit faite sur la Terre comme au Ciel…

Il avait oublié la suite mais les enfants continuèrent en chœur. Walter écouta et les rejoignit à la fin :

— … ne nous laisse pas succomber à la tentation mais délivre-nous du Mal… Amen.

Walter appuya son front contre la jambe de Josh. Il sentit l'humidité chaude qui s'était répandue à travers le tissu du jean.

Délivre-nous du Mal… s'il te plaît.

Il essaya une dernière fois de réciter le vieux mantra de Jake pour Josh et pour lui-même.

— « L'atmosphère de Titan est comme l'odeur de pain chaud d'une boulangerie de Terrien, un matin… »

Il s'arrêta car il avait l'impression de sentir, non l'urine ni la terreur, mais l'odeur du pain frais.

15

Cette chose de l'ombre, je la reconnais pour mienne.

PROSPERO, *La Tempête.*

ILS ÉTAIENT CONVENUS de rencontrer Sandy Loeffler Hendrick à 18 h 15 au snack-bar de son club de gym sur San Pedro Boulevard. Avant d'arriver, Holihan téléphona comme prévu à son collègue de Sante Fe pour l'informer qu'ils allaient bientôt faire le contact.

Molly la repéra immédiatement. Une blonde au corps mince et musclé, vêtue d'un ensemble de sport en Lycra noir, avec une tasse de café au bord taché de rouge à lèvres posée sur la table devant elle. Elle les salua avec une certaine réserve et examina longuement la plaque de Holihan. Finalement, elle leur proposa de boire quelque chose. Ils refusèrent.

— Ça peut paraître étrange, dit-elle, mais le seul endroit pour parler tranquillement est l'une des salles d'exercice privées. Nous ferions mieux d'y aller.

Sandy Hendrick les conduisit à l'étage supérieur, traversant une immense pièce déserte à la moquette violette, remplie de machines chromées. Ils entrèrent dans une petite pièce. L'une des parois était formée d'une grande glace, du sol au plafond. Une barre de ballet s'étendait tout le long du mur d'en face. Sandy mit en marche le ventilateur au plafond et étendit sur la moquette trois nattes en plastique. Elle s'installa avec grâce sur l'une d'elles, en position du lotus.

— Je regrette qu'il n'y ait pas de chaises, mais comme vous vouliez un lieu privé, c'est l'endroit.

Bryan Holihan s'appuya sur un genou, mal à l'aise.

— Est-ce que c'est en rapport avec ma dernière infraction au code pour conduite en état d'ivresse ? demanda Sandy à Holihan.

— Oh non, madame, ça n'a rien à voir…

— Madame Hendrick, dit Molly, il s'agit d'une affaire très délicate et difficile… Je crois au droit d'une femme à sa vie

209

privée en matière de reproduction, mais ici, nous nous trouvons en face de circonstances exceptionnelles. Je vais vous révéler des faits que très peu de gens connaissent, et, en dehors de moi, ils appartiennent soit au FBI, soit à la police d'Austin. Tout ce que vous nous direz ne sera partagé qu'avec ce petit groupe de personnes très discrètes…

Molly continua :

— Il y a trente-trois ans, durant l'été de 1962, pendant que vous étiez à l'université du Texas, un nouveau-né mâle a été abandonné. Aujourd'hui, devenu un homme adulte, il veut connaître l'identité de sa mère…

Molly fit une pause en observant la réaction de la femme en face d'elle.

— J'ai des raisons de croire que vous pourriez être sa mère.

Le visage de Sandy Hendrick perdit un peu de son hâle mais demeura impassible. Sa peau avait souffert du ravage des ans, du soleil texan et de l'alcool. Mais la beauté de ses traits restait intacte : les lèvres pleines, les yeux bleus en amande, le nez délicatement sculpté, à peine retroussé, qui relevait légèrement la lèvre supérieure, découvrant des dents blanches et régulières.

— C'est tout ? demanda-t-elle. Vous avez fait toute la route depuis Austin pour cela ?

Molly fit signe que oui.

— Je suis désolée… J'aurais pu vous répondre au téléphone. Cela n'a rien à voir avec moi. J'étais en effet à l'université d'été en 1962 parce que j'avais échoué à mon examen de français et… j'ai dû recommencer. Mais je n'ai rien à voir avec un bébé… Tout ça est si bizarre…

Elle prit sa tasse de café et essaya de la porter à sa bouche, mais sa main tremblait tellement qu'elle dut reposer la tasse en s'aidant de son autre main.

Molly ressentit une pointe de compassion pour le mal que ses questions causaient à cette femme. Mais elle poursuivit néanmoins.

— Madame Hendrick, vous et votre compagne de chambre, Gretchen Staples, avez déménagé de la maison Pi Alpha Oméga dans un appartement en ville, bien que vous ayez payé le trimestre d'été d'avance, sans pouvoir vous faire rembourser. Pourquoi ?

— Chauffeur, montez tout de suite ou nous descendons !

Walter répondit par un coup de feu.

Il frissonnait. Il regarda sa chemise mouillée et vit qu'elle était trempée de sang ainsi que son jean. Qui eût cru que Martin et James avaient tant de sang ?

C'est alors qu'il sentit une grande faiblesse l'envahir, tandis qu'une douleur aiguë lui transperça le côté droit. Il se laissa glisser à terre contre la barricade. Il eut l'impression que la fusillade faiblissait. Il fallait juste tenir encore un peu. Il essaya de pointer son revolver vers le haut mais l'arme pesait trop lourd. Il la posa sur ses genoux, quelques instants.

Il entendit faiblement la voix de Sandra :

— OK, vous autres. On va tous chanter… On y va…

Sa petite voix de soprano s'éleva en tremblant :

— *Les roues du car tournent en rond, en rond et en rond...*

Walter cria :

— Chantez tous en chœur !

Les petites voix se joignirent petit à petit :

— *Rond, et rond, et rond...*

— Bravo, dit Walter d'une voix plus faible. Vous avez été formidables… Je suis fier de vous tous…

Mais ses mots ne portaient plus. Il se sentait si fatigué. Il aurait voulu dormir. Mais il fallait qu'il continue à veiller. Il essaya vainement de combattre ce sommeil insidieux qui finit par le gagner. Il glissa sur le sol et posa sa joue contre la terre froide.

23

Ils viennent de la grande épreuve.
Ils ont lavé leurs robes et les ont blanchies dans le sang
de l'agneau.

Apocalypse, 7 :14.

MOLLY CATES avait les yeux rivés sur le portail ouvert de la grange blanche. Une armée d'ambulances étaient garées devant, avec leurs portes arrière ouvertes et les équipes médicales en attente.

Bryan Holihan la tenait par le coude.

— Venez, dit-il pour la troisième fois. On vous attend au quartier général. Le lieutenant Traynor a des choses à vous dire.

— Laissez-moi, Bryan, dit-elle en dégageant son bras. Je vous ai dit que je reste ici jusqu'à ce qu'ils sortent.

— Vous les verrez aussi bien à la télé, du poste de commande, dit-il.

Molly le regarda. Pour la première fois depuis qu'elle le connaissait, il ne portait pas de veste. C'était parce qu'il lui avait donné la sienne. Quand elle était sortie de l'enceinte, elle ne pouvait pas s'arrêter de frissonner. Bryan lui avait mis sa veste sur les épaules.

— Je ne partirai pas d'ici, même si vous aviez un mandat d'arrêt contre moi… je veux les voir sortir pour de vrai… pas à la télévision. Ça ne devrait plus être très long…

Elle regarda sa montre. Minuit 26 minutes — une heure seulement s'était écoulée depuis qu'elle était entrée dans le camp retranché avec Rain Conroy.

L'une des voitures de pompiers mit son moteur en route et se dirigea là où ils se tenaient, devant l'énorme entaille faite dans la clôture métallique. Les tanks en avaient défoncé des sections entières lorsqu'ils avaient donné l'assaut. Molly et Bryan s'écartèrent pour laisser passer le camion. Trois voitures de pompiers et une pompe restèrent sur place pour surveiller le feu qui couvait encore au rez-de-chaussée. Il avait commencé dans la cuisine.

Personne ne disait comment le feu avait pris. Cela avait été une aide précieuse aux commandos d'assaut en contribuant à raccourcir la durée de la confrontation. Les jezreelites n'avaient pas voulu mourir dans l'incendie. Depuis que leur chef, le prophète Mordecai, était mort, personne n'était là pour les empêcher de se rendre. Ceux qui n'avaient pas été tués ou blessés s'étaient précipités hors du bâtiment central, les mains au-dessus de la tête. Cela avait évité beaucoup de morts dans les deux camps.

Molly regarda Bryan Holihan qui pressait sa radio contre son oreille.

— Bryan, dites-moi une chose... Est-ce que cet incendie a été délibérément allumé ?

Il la fixa pendant quelques secondes sans écarter la radio de son oreille.

— Les grenades et les munitions sont hautement inflammables. Le feu est toujours possible dans ces entrées dynamiques...

— Bryan, arrêtez de jouer l'idiot. Est-ce que le feu a été mis délibérément, oui ou non ?

— Vous pouvez demander à Lattimore, dit-il avec un sourire ironique, mais il ne pourra rien vous dire de plus...

Molly regarda vers la grille où Lattimore était en train de parler avec l'un des commandants des équipes d'assaut.

— Eh bien, c'est ce que je vais faire, dit Molly.

Elle s'avança vers la grille en enjambant un morceau de clôture. À présent, après l'attaque, l'enceinte ressemblait à un champ de bataille. En plus des voitures de pompiers et des ambulances, il restait deux tanks et deux minibus pour le personnel, garés près du bâtiment central. Des douzaines de véhicules de la police d'Austin, des camions et des voitures de la Sécurité civile, leurs gyrophares tournoyant, encerclaient le camp.

Des agents du FBI vêtus de noir, leurs fusils armés, patrouillaient dans l'enceinte pour débusquer les membres de la secte qui seraient encore cachés dans les bâtiments attenant au bâtiment central.

C'était un spectacle extraordinaire. Dans toute sa carrière de reporter, Molly Cates n'avait jamais rien vu de pareil.

Mais l'événement principal, que tout le monde attendait en priant, se déroulait dans la grange blanche sur laquelle tous les yeux étaient rivés.

Ça faisait dix-huit minutes que Lattimore et Holihan recevaient par radio des nouvelles de l'équipe à l'intérieur de la grange. Les enfants étaient toujours barricadés dans le car, sous terre. Les agents du FBI n'arrivaient pas à déloger le siège qui bloquait la porte.

Molly était si nerveuse qu'elle ne tenait pas en place. Elle se tordait les mains d'anxiété. Tandis qu'elle s'approchait de Lattimore, un membre de l'équipe d'assaut sortit de la grange et le rejoignit. Molly pressa le pas pour pouvoir entendre ce qu'il allait lui dire.

L'agent avait relevé sa cagoule qui pendait à son cou avec son masque à gaz. Il était très jeune et portait ses cheveux blonds coupés en brosse.

— Ouais, ils chantaient ! dit-il en souriant. Je vous le jure. Ils sont tous groupés à l'arrière et ils chantent… Une chanson énervante à propos des roues d'un autobus… Nous leur crions : « C'est fini, les enfants. Vous pouvez sortir. Tout va bien. Vos familles vous attendent. »

Il ouvrit la fermeture Éclair de son gilet pare-balles. Son tee-shirt noir était trempé de sueur.

— Alors l'un des gosses a dit : « Nous ne sortirons que si M. Demming nous le dit lui-même ou si vous nous montrez une plaque du FBI. » Kroll leur dit que M. Demming a été transporté à l'hôpital en hélicoptère mais qu'il a un badge à leur montrer si l'un d'entre eux veut venir le chercher. Il peut la glisser entre le siège et le montant de la porte. Les gosses en discutent et palabrent longuement.

« Finalement, le garçon s'approche de la barricade et dit : "Vas-y, mec !" Il a pas froid aux yeux, celui-là… Alors Kroll fait glisser sa plaque et le gosse la rapporte aux autres. Nouveaux palabres. Ils sont enfin convaincus de l'authenticité de la plaque, car le garçon revient en disant qu'ils veulent bien sortir, mais qu'ils ne peuvent pas bouger le siège qui bloque celui qui est devant la porte. Et nous, de l'extérieur, on ne peut pas non plus.

— Incroyable, dit Holihan qui les avait rejoint, les mômes ont dû installer la barricade eux-mêmes. Demming était en dehors du car.

— Ouais… On aurait juré qu'elle avait été montée par une bande d'ingénieurs… En tout cas, on leur a dit de ne pas s'en faire, que les pompiers avaient le matériel nécessaire sur place pour les dégager. Pendant qu'on attend, Kroll leur demande s'ils vont bien. Ils répondent que ça va, mais comment va M. Demming ?

Le jeune agent cessa de sourire.

— Bien sûr, on ne leur a pas dit qu'on avait trouvé Demming baignant dans une mare de sang qui imbibait la terre de la fosse et qu'il donnait à peine signe de vie quand il a été embarqué dans l'hélico… Il sera bien assez tôt pour le leur dire… Ensuite les pompiers sont arrivés, et ils sont en train d'enfoncer la porte de ce car comme on ouvre une boîte de conserve…

Lattimore leva la main.

— Les voici, dit-il.

Tout le monde regarda la porte à double battant de la grange. Ils sortaient, enfin.

Molly s'accrocha au grillage, la bouche sèche.

La première était une petite fille blonde encadrée de deux agents. Molly se dit que c'était Heather Yost. Elle leva la main pour se protéger de la lumière éblouissante des projecteurs.

— En voilà une, dit Molly à voix haute. Et qui marche toute seule.

En second arriva un petit bonhomme aux cheveux châtains, en culottes courtes. Il tenait un homme du FBI par la main, et de l'autre il serrait contre lui une poupée blanche. C'était le plus jeune, Bucky De Carlo, avec des mèches sur le front. Ses cheveux avaient poussé, les mèches s'étaient aplaties.

— Et de deux.

La troisième était Kim Bassett. Son visage était aussi pâle que du lait écrémé, ses cheveux roses avaient foncé sous la saleté. Elle s'arrêta sur le seuil de la porte de la grange, éblouie par les lumières, paralysée par le brouhaha tout autour. L'agent qui l'accompagnait mit son bras autour de ses épaules et l'encouragea à marcher.

— Et de trois, dit Molly.

Le suivant, un garçon aux cheveux noirs, avec de grands yeux sombres, parlait avec animation à l'un des agents. Il agitait les mains en parlant. Hector Ramirez.

— Et de quatre.

Ensuite, un petit groupe de trois sortit, mais Molly ne put voir leurs visages masqués par les agents de la sécurité qui les entouraient. Elle continua à compter tout haut.

— Cinq, six, sept.

Puis, ce fut le tour de deux autres. Une fille maigre, à la peau brune, qui portait des lunettes et serrait un livre contre sa poitrine. Sandra Echols.

— Huit.

À ses côtés marchait un garçon plus petit qui couvrait son visage de ses mains. Il pleurait, pensa Molly. Mais elle n'était pas certaine de son identité.

— Neuf.

Enfin, la dernière — une petite fille aux cheveux châtains bouclés qui ressemblait à un petit lutin. Lucy Quigley.

— Dix.

Molly exhala un long soupir. Elle ne savait même pas qu'elle avait retenu son souffle.

Ils étaient tous là, tous sauf Josh Benderson, bien sûr. Et Walter Demming.

Molly avait aperçu Demming transporté sur un brancard. À la lueur des flammes, elle avait à peine eu le temps de voir le visage d'un homme à la barbe grisonnante, aux cheveux tirés en queue de cheval, avec un bandeau bleu autour du front.

Les infirmiers l'avaient emmené précipitamment vers l'hélicoptère qui attendait, le moteur en marche.

Elle avait réussi à tirer les vers du nez de Bryan Holihan, qui lui avait dit que Walter Demming se trouvait dans un état critique à la suite d'une balle tirée dans les reins. Il avait perdu connaissance et perdait abondamment son sang. On le transportait à l'hôpital Brackenridge d'Austin, spécialisé dans les blessures par balles.

Molly regarda les enfants qui s'étaient regroupés, en silence, derrière les ambulances.

Le plan était de les emmener au Memorial Hospital de Georgetown, où leurs familles les attendaient. Molly songea à quoi seraient confrontées ces familles quand elles ramèneraient enfin leurs enfants à la maison. Ces enfants qui ne seraient plus les mêmes que ceux qui étaient montés dans le car, ce matin du 24 février. De cela, Molly était certaine.

Elle cligna des yeux pour mieux voir. Il semblait y avoir un problème à la porte de la grange. Les enfants ne montaient pas dans les ambulances. Ils avaient l'air de discuter avec les agents de la sécurité et les ambulanciers. Molly se trouvait trop loin pour entendre leurs paroles mais elle devinait par leurs attitudes qu'ils refusaient de monter dans les ambulances.

Lattimore parla dans sa radio.

— Dites-leur qu'ils seront à l'hôpital dans dix minutes et qu'il y a un infirmier dans chaque ambulance.

Molly le tira par la manche.

— Qu'est-ce qui se passe ?

— Oh, les gosses veulent monter tous ensemble dans la même ambulance. C'est contre les règles, alors ils protestent.

Molly sentit l'indignation lui monter à la gorge, comme une bouffée de chaleur.

— Pat ! Ces gosses ont été collés ensemble comme les chiots de la même portée pendant des semaines ! C'est scandaleux de les séparer si brutalement. Vous êtes le commandant en chef, ici. Utilisez votre pouvoir. Dites à Kroll de les laisser monter comme ils veulent, bon Dieu !

— Molly, calmez-vous ! On s'en occupe. Kroll tente un compromis, les faire monter en deux groupes, dans deux ambulances, car ils ne peuvent pas tous tenir dans une seule. Pauvre Stan ! Je ne l'ai jamais vu si débordé... Il a l'habitude des bandits menottés et non des petits gosses têtus...

Au bout de quelques minutes, trois des enfants montèrent dans l'une des ambulances. Les autres semblaient hésiter et se remirent à discuter.

— Mais leurs parents les attendent au Memorial Hospital ! dit Lattimore dans sa radio. Est-ce qu'ils le savent ?

Il écouta un instant, la radio collée contre son oreille, et dit :

— Il entre en ce moment même dans la salle d'opération. De toute façon, ils ne peuvent pas le voir maintenant. Dites-leur.

Molly observa Stan Kroll se pencher vers Hector Ramirez qui secouait vigoureusement la tête.

— OK, OK, marmonna Lattimore. Une minute, Stan. J'arrive. Moi, je vais leur parler.

Il baissa le volume de sa radio.

— Les gosses insistent. Ils veulent aller à l'hôpital où se trouve Demming. Il faut que je leur parle. Venez, Holihan. Vous avez des gosses de cet âge-là…

Molly s'avança à ses côtés.

— Je viens aussi.

— Non, Molly. Il vaut mieux…

Molly dit en baissant la voix :

— Pat, vous me devez pas mal de choses… Je viens avec vous.

Le désir intense qu'elle éprouvait de voir les enfants de près l'étonnait elle-même. Elle avait été si impliquée dans l'aventure de ces enfants qu'elle voulait tout connaître d'eux.

Lattimore haussa les épaules et passa la grille. Holihan le suivit. Ce n'était pas une permission donnée de bonne grâce, mais Molly l'interpréta positivement. Elle dut courir pour rattraper les deux hommes qui marchaient à grands pas sur le sentier recouvert de mauvaises herbes conduisant à la grange. Stan Kroll parlementait toujours avec les enfants. Il avait le visage rouge et l'air malheureux. Lattimore avait raison : la discussion avec les gosses le stressait plus que ne l'avait fait l'assaut.

Les trois enfants dans l'ambulance se pressaient à l'arrière en sortant la tête. Bucky De Carlo suçait son pouce. Les sept autres étaient blottis les uns contre les autres, près de l'ambulance. Éblouis par les projecteurs, ils étaient sales et amaigris. Encerclés par les agents en noir, hâves et vulnérables, ils faisaient penser à des oisillons sans plumes, tombés du nid.

Hector Ramirez s'avança vers Molly et les deux hommes.

— Qui est responsable ici ? demanda-t-il avec agressivité.

Lattimore le toisa.

— Moi. Patrick Lattimore, agent spécial en charge des opérations.

Il ajouta avec un sourire :

— Vous devez être monsieur Ramirez.

Quelques gosses pouffèrent de rire.

Hector leur lança un regard sévère et se tourna vers Lattimore.

— Ouais, c'est moi. Nous voulons aller à l'hôpital où ils ont emmené M. Demming. Ils ont dit qu'il allait à Austin, et nous à Georgetown. Nous voulons aller là où il est.

— Vos familles vous attendent à dix minutes d'ici, dit Lattimore d'une voix douce, à Georgetown. Elles vous attendent et se sont inquiétées de vous pendant quarante-neuf jours. Ne les faisons pas attendre davantage.

Hector se tourna vers les enfants et regarda Kim. Elle serra les lèvres et fit non de la tête.

— M. Demming a peut-être besoin de nous, dit-il. Nous voulons y aller.

La voix de Kim s'éleva derrière lui.

— Nos parents peuvent nous rejoindre là-bas — à l'hôpital où est M. Demming. Comme ça nous pourrons les voir et être avec lui en même temps. Vous pourriez les appelez maintenant et leur dire de nous retrouver là bas.

La plupart des enfants hochèrent la tête à cette proposition.

Molly observa attentivement le visage sale de Kim Bassett, avec ses taches de rousseur et son menton volontaire qui ressemblait tant à celui de sa mère. Elle ressentit un grand soulagement. Cette enfant avait traversé des épreuves terribles mais elle paraissait… intacte.

— Mais tout est préparé pour vous à Georgetown, dit Lattimore. Les médecins sont prêts à prendre soin de vous. Nous venons de leur parler au téléphone.

— Mec, dit Hector, avec un geste impatient de la main, nous n'avons pas besoin de docteurs. Nous ne sommes pas malades. Nous avons faim. Sandra a la colique mais c'est pas grave…

— Mais j'ai… je dois vous faire examiner, dit Lattimore en faisant appel au reste du groupe. Tout est organisé… Vous ne pouvez pas simplement…

Il s'interrompit en voyant que les gosses ne l'écoutaient pas. C'était la première fois que Molly le voyait dans une situation qui échappait à son contrôle. Elle regarda Hector avec admiration. C'était faire preuve d'une force d'âme formidable que de tenir tête ainsi au gouvernement fédéral.

— Allons, les enfants, insista Lattimore. Montez dans les ambulances et on reparlera de tout cela lorsque vous serez à Georgetown.

Bryan Holihan, qui assistait à l'échange, sa radio collée contre son oreille, se figea soudain, puis s'éloigna de quelques mètres. Il tourna le dos et parla à voix basse dans sa radio. Molly, inquiète, le rejoignit. Il écoutait, les yeux fermés.

— OK, dit-il, bien reçu.

Il baissa le volume de sa radio et regarda Molly, les yeux embués de larmes.

Elle posa sa main sur son bras et murmura :

— Qu'est-il arrivé, Bryan ?

Mais elle avait deviné.

— Demming. Il est mort avant d'arriver sur la table d'opération.

Une larme lui échappa et coula lentement sur sa joue.

— Bon Dieu de merde ! Si seulement nous étions entrés une minute plus tôt...

La nouvelle saisit Molly. Elle se sentit vidée, chagrinée, comme si elle avait perdu un être cher, et pourtant elle ne l'avait vu qu'un bref instant, sur le brancard.

Patrick Lattimore apparut derrière elle.

— Qu'est-ce qu'il y a ?

Holihan jeta un coup d'œil sur les enfants.

— Demming est mort, dit-il à voix basse.

— Oh mon Dieu ! Qu'allons-nous faire de ces gosses ? s'écria Lattimore.

Molly regarda les enfants qui chuchotaient entre eux avec animation. Kim Bassett quitta le groupe et s'approcha d'eux.

— C'est au sujet de M. Demming ? demanda-t-elle.

Les trois adultes dévisagèrent sa figure pâle et barbouillée, sans dire un mot. Molly avait la bouche sèche. Elle était soulagée de ne pas avoir à répondre. C'était la responsabilité de Lattimore.

Le regard perçant de Kim parcourut leurs trois visages.

— Il s'agit bien de lui, n'est-ce pas ?

Hector s'approcha, haussant d'anxiété ses sourcils noirs. Les autres enfants le suivirent.

Kim se tourna vers Hector et dit :

— Oh, Hector... Il est mort et ils n'osent pas nous le dire.

Hector leva les yeux vers les adultes.

— Il est *mort* ? C'est vrai ?

Patrick Lattimore hocha la tête.

— Il vient de mourir, à l'hôpital. Je suis désolé d'avoir à vous le dire. Je sais que vous...

— Y a-t-il quelqu'un avec lui ? demanda Kim, les yeux secs. Ou est-il mort seul ?

— Son vieil ami Jake Alesky est avec lui, dit Bryan Holihan.

Kim hocha la tête et s'adressa aux autres gosses.

— Quelque chose de grave est arrivé, dit-elle. Retournons à l'ambulance…

Elle pointa le doigt en direction de Sandra, Bucky et du troisième garçon, qui écarquillaient les yeux à l'arrière de l'ambulance.

— Comme ça on pourra en parler tous ensemble, dit-elle.

Lattimore se tourna vers Molly, l'air angoissé.

— Qu'en pensez-vous ? Devrions-nous les laisser tranquilles ? J'aurais voulu qu'un des psychologues soit ici… Je voudrais surtout les remettre à leurs parents…

Molly observa les enfants blottis les uns contre les autres, se consolant mutuellement, à l'arrière de l'ambulance. Kim entoura Bucky de son bras et parla d'une voix si basse que Molly ne put distinguer ses paroles. Les enfants se penchèrent pour l'écouter.

— Je crois que ce serait une intrusion de nous en mêler pour le moment, dit Molly. Donnons-leur un peu de temps entre eux…

Elle baissa les yeux. Elle se sentait même gênée de les regarder.

L'un des enfants poussa un hurlement. D'autres se mirent à gémir.

Lucy et Heather, enlacées, pleuraient sur les épaules l'une de l'autre. L'un des garçons, assis par terre, pleurait en silence.

Malgré l'horreur de leur situation, quelque chose de remarquable leur était arrivé, sous terre, qui les avait unis d'un lien indissoluble.

Au bout d'un moment, Hector cria à Lattimore :

— OK, mec. Nous irons à votre hôpital, maintenant.

Kim grimpa dans l'une des ambulances, et Hector dans l'autre. Les enfants y montèrent après s'être séparés silencieusement en deux groupes.

Ensuite, sans actionner les sirènes, les ambulances quittèrent l'enceinte dont les ruines fumaient encore et se dirigèrent vers le Memorial Hospital à Georgetown où leurs familles, ainsi qu'une équipe de médecins et d'assistantes sociales les attendaient.

Molly regarda sa montre. Il était minuit 42 minutes, le 14 avril. Le cinquantième jour, le jour où Samuel Mordecai attendait la fin du monde. Elle jeta un dernier regard sur les vestiges du camp des jezreelites. Il avait causé beaucoup de douleur et de destruction sur terre, cet enfant abandonné qui s'était transformé en prophète vengeur. Et l'ampleur des dommages n'avait pas encore été évaluée.

Mais la vie sur terre a beaucoup de résistance. Molly se souvint de l'expression déterminée sur le visage de Kim Bassett. Dieu, que Thelma Bassett sera heureuse de revoir cette expression-là! Cette pensée fit sourire Molly et, en même temps, remplit ses yeux de larmes.

Au quartier général, toutes les lumières étaient allumées. Grady Traynor prit Molly dans ses bras.

— Nous avons capturé les trois assassins du Glaive de la main de Dieu…

— Oh Grady! Comment avez-vous fait?

— Ton amie Addie Dodgin, à Waco, nous a aidés. Elle t'a appelée, Molly, et elle veut que tu la rappelles. Peu importe l'heure.

— Raconte-moi comment ça s'est passé, Grady.

— Ils l'attendaient à la sortie de son bureau dans un camion volé. Elle les a repérés et a téléphoné aux fédéraux. Ils lui avaient dit de les appeler si elle remarquait quelque chose sortant de l'ordinaire. Les agents fédéraux les ont surpris avec tous les instruments propices à transformer les gens en statues de sang. Nous aurons besoin de toi pour identifier ces types, Molly. Ça peut attendre jusqu'à demain.

— OK… Je veux parler à Rain Conroy. Où est-elle?

— Partie depuis longtemps, dit Grady.

— Partie?

— Après avoir fait son rapport à Andrew Stein et collé un paquet de glaçons sur sa joue, elle est partie pour l'aéroport. Elle est retournée à Quantico quinze minutes après que vous êtes sorties toutes les deux de l'enceinte.

— Elle n'est pas restée pour voir les enfants?

— Non. Mais elle a laissé un message pour toi.

— Ah, lequel?

— Elle a dit : « Molly Cates est le seul écrivain réglo que j'aie jamais rencontré », dit Grady en souriant.

Molly rougit de plaisir. C'était un compliment qu'elle emporterait jusque dans la tombe.

Elle écouta Patrick Lattimore donner sa dernière conférence de presse.

— … À la suite d'une manœuvre tactique qui a pleinement réussi, les dix enfants survivants ont été libérés après quarante-neuf jours de captivité dans un car sous la terre. Tous paraissaient en bonne santé, mais deux d'entre eux, Sandra Echols et Philip Trotman, sont restés en observation pour la nuit au Memorial Hospital. Les autres sont rentrés dans leurs familles.

« Onze adeptes de la secte, dont Samuel Mordecai, ont été tués au cours de l'assaut par l'équipe de sauvetage des otages. Samuel Mordecai tirait sur les agents quand il est mort d'une balle dans la tête.

« Quinze adeptes ont été blessés.

« Deux agents fédéraux ont été tués en accomplissant leur devoir et trois ont été blessés, dont un grièvement.

« Cent douze adeptes de la secte, dont soixante-trois femmes, ont été écroués et inculpés de meurtre et de tentative d'assassinat. D'autres inculpations sont en attente. Une fouille du camp a permis de découvrir quarante-deux tombes où seraient enterrés les quarante-deux nouveau-nés tués par les jezreelites.

« Walter Demming, le conducteur du car, a été blessé par balle par les jezreelites, pendant l'assaut. Il est mort de la suite de ses blessures peu après son arrivée à Brackenridge Hospital.

Lattimore ne mentionna pas l'agent spécial Loraine Conroy qui avait tué Samuel Mordecai et trois autres membres de la secte.

Il ne parla pas non plus de Molly Cates.

Interrogé sur l'identité des deux femmes qu'on avait vues entrer dans l'enceinte vingt minutes avant l'assaut, Lattimore répondit : « Sans commentaires. »

Cette version des événements abasourdit Molly. Il avait réussi à réduire la tragédie de Jezreel à un match de football, à une sèche récitation de statistiques. Il en avait censuré toute vie

— l'angoisse, le drame, le sacrifice, la dévotion, et, surtout, le courage des participants.

Bien sûr, la presse serait à l'affût du drame et le ferait vivre. Elle en premier. Elle pensait déjà à l'histoire qu'elle écrirait et qui prenait déjà forme dans sa tête depuis quelques jours sans qu'elle en ait eu conscience.

Il était 3 heures du matin quand Molly et Grady purent enfin quitter le quartier général. Épuisée, Molly reposa sa nuque sur le siège. L'odeur âcre du bois brûlé continuait à flotter dans l'air. Seul un petit groupe d'agents fédéraux patrouillait encore dans le camp. Tout était fini.

— Alors, Molly, comment tu te sens?

— Terrible. Aux anges. Fatiguée. Sentimentale. Voir ces enfants sortir vivants a été une des plus fortes expériences de ma vie, Grady.

— Pour moi, aussi… Et ton aventure à toi, Molly?

Elle ferma les yeux et réfléchit.

— Je ne recommencerai jamais ça… J'ai dû utiliser toute la chance qui m'a été allouée dans cette existence… À partir de maintenant, je dois être prudente.

— Je sais ce que tu veux dire…

— Et toi, Grady?

— Je crois que nous avons fait un miracle… Ces enfants étaient pratiquement morts. Nous les avons sortis de sous la terre avec l'aide de Walter Demming et la tienne, Molly…

Il avait bien d'autres choses à dire mais elle ne les entendit pas, car elle s'était endormie.

24

Nous devrions vivre comme si nous n'espérions pas
rester très longtemps sur terre.

Hal LINDSAY, *The Late Great Planet Earth.*

GRADY TRAYNOR, assis sur le pare-chocs arrière de la camionnette de Molly, buvait une bière, Copper couché à ses pieds. Molly et Jo Beth sortirent enfin du club de gym.

Jo Beth se pencha pour embrasser son père. Elle s'arrêta à mi-chemin quand Copper leva la tête en grognant.

— Il va s'habituer peu à peu, dit Grady.

Jo Beth recula d'un pas en considérant le chien.

— Tu devrais peut-être l'envoyer de nouveau au dressage...

— Dans une école militaire, dit Molly. En pension.

Grady caressa la tête du chien.

— Ne fais pas attention à ce que dit ta mère. En réalité, elle l'adore... Elle lui a acheté un lit ce matin.

— J'ai pensé qu'avec son propre lit dans la cuisine, il n'envahirait pas ma chambre à coucher, dit Molly en jetant un coup d'œil vers Grady.

— Jo Beth, dit Grady, pourquoi ne viens-tu pas avec nous ? Nous allons au lac pour voir le coucher du soleil. Si la fin du monde survient, le lac sera le plus bel endroit pour assister au spectacle.

— Merci, dit Jo Beth, mais j'ai un rendez-vous. Et je suis en retard. Il faut que j'y aille !

Ils la regardèrent traverser le parking dans ses collants noirs et son long sweat-shirt gris. Avant de monter en voiture, elle se retourna et leur fit un signe de la main.

— Nous l'avons bien réussie, dit Grady en envoyant un baiser à sa fille.

— Oui, en effet...

Molly passa la main sur le pare-chocs arrière.

— Merci de l'avoir fait réparer, dit-elle.

289

Elle se hissa sur le hayon à côté de Grady.

— Molly, j'ai réfléchi à quelque chose...

Elle se contracta. Elle le voyait venir. Plus moyen d'esquiver.

— À quoi?

— Tu sais, au sujet de mon bail qui se termine...

— Alors?

— Barbara Gruber m'a téléphoné. Elle part six mois pour Washington installer un nouveau labo de recherches sur l'ADN... Mais je suppose que tu le sais déjà comme c'est une bonne copine à toi...

— Ouais.

— Elle cherche à sous-louer sa maison. Elle a un jardin clos...

— Idéal pour un chien, dit Molly.

— C'est ce qu'elle a dit. Et le loyer correspond à ce que je paye maintenant... Une vraie coïncidence...

— Ouais.

— Je lui ai dit que je prenais sa maison.

Molly se retourna pour contempler ses yeux vert d'eau. Elle prit son visage entre ses mains.

— Oh, Grady! Quelle bonne idée! C'est à peine à deux kilomètres de chez moi. Je pourrais t'aider avec le chien.

— Oui, c'est une bonne idée, dit-il en riant.

Elle voulut l'embrasser mais Copper émit un grondement sourd du fond de sa gorge.

Grady sauta du camion, prit le chien par le collier et le mit dans la cabine, à l'avant.

Il chercha deux bières dans la glacière.

— Dis-moi, Molly, que vas-tu écrire sur Jezreel? L'histoire de l'agent spécial Rain Conroy et comment elle a envoyé Samuel Mordecai devant son créateur est plutôt sensationnelle... Dommage que tu ne puisses pas la raconter.

— Pas vraiment, dit Molly. Ce n'est pas l'histoire que j'ai envie de raconter. Il y en a une autre, encore plus intéressante.

— Walter Demming?

— Ouais. Walter Demming et ses onze gosses. Tu imagines ce qu'était leur vie sous terre pendant quarante-neuf jours, Grady? Et la manière dont il a fait savoir au FBI où ils étaient enterrés est remarquable — et il est évident qu'hier soir, dans la fosse, il a sauvé la vie des enfants.

— On dirait que tu es un peu amoureuse de lui !

— Je suppose que oui, un peu. Tous les enfants le sont... Ils ont envie de parler de lui... Kim avait du mal à s'endormir, hier soir. Et sa mère m'a dit que certains enfants s'étaient réveillés, la nuit, en criant... C'est une histoire formidable. Ce que j'aime chez Demming, c'est son courage inné. Le genre de courage qui se manifeste spontanément quand la situation l'exige...

Grady lui prit la main.

— Molly, c'est pour cette raison que je devais prendre Copper...

Elle le regarda, étonnée.

— Oui. Je l'ai vu travailler, une fois, continua-t-il. J'ai été frappé par cette créature qui ne pouvait s'empêcher d'être

292

courageuse quand les circonstances l'exigeaient. Il ne l'avait pas choisi, c'était plus fort que lui. Je ne pouvais pas supporter l'idée que ce courage-là allait être supprimé. Il n'y en a pas assez autour de nous.

Molly hocha la tête.

Grady pointa son index en direction de la boule orangée qui allait disparaître à l'horizon.

— Il se couche. Nous n'arriverons pas à temps au lac.

— C'est bien ici, dit Molly en buvant sa bière à petites gorgées.

Elle contemplait les nuages à l'horizon qui prenaient des reflets orange, rosés et dorés.

— On dirait que le monde ne va pas finir aujourd'hui, dit Grady en levant sa bière. Je bois au monde qui continue avec ses imperfections...

— Je bois avec toi, dit Molly en choquant sa canette contre celle de Grady.

Puis, elle la leva vers le chien qui les fixait intensément, le nez pressé contre la vitre arrière.

Épilogue

Extraits de « Statues de sang » par Molly Cates,
Lone Star Monthly, juin 1995

*... Ils ne se voient pas tellement souvent, disent-ils. Mais par-
fois, ils se réunissent sur le terrain de jeux et ils parlent de leurs
cauchemars et des moments de panique quand le car s'est
arrêté brusquement ou que la lumière s'est éteinte, sous-
terre... Ils parlent de Bucky qui suçait son pouce sans cesse et
de Sandra qui avait toujours mal au ventre. Ils disent en riant
que c'était surtout dans sa tête. Ils plaisantent sur leurs théra-
pies respectives.*

Ils parlent de Josh et comment c'était de le voir mourir.

Et surtout, ils parlent de Walter Demming.

*Ils disent qu'au début, il n'avait pas l'air de les aimer beau-
coup, mais plus tard, lorsqu'il arpentait, la nuit, l'allée centrale du car et qu'il les surveillait, ils sentaient sa présence et
qu'il veillait sur eux. Ils disent qu'il n'appréciait pas beaucoup
la religion, mais qu'il avait fini par prier. Ils disent qu'il est difficile de le décrire, de le cataloguer.*

*Et c'est vrai. Après tout, c'était un homme qui avait rompu ses
vœux. Quand il est rentré du Viêt-nam, Walter Demming avait
prévu, comme Candide, de rester chez lui et de s'occuper de
son jardin. Il avait fait le vœu de refuser de s'impliquer dans les
affaires des autres, mais il a fini par s'engager intimement dans
la vie de onze enfants. Il avait fait le vœu d'éviter toute violence, mais il est mort dans une explosion de violence apocalyptique. Il avait fait le vœu de sauvegarder sa vie privée, de ne
pas attirer l'attention, mais il est devenu le centre d'intérêt des
médias du monde entier et il reçut à titre posthume la médaille
d'honneur présidentielle.*

*Le destin, ou cette force qui place les gens là où ils ne veulent
pas être, avait inventé pour Walter Demming une situation qui
l'obligea à transgresser ses règles et à agir selon son cœur et
sa vraie nature.*

REMERCIEMENTS

Parce que je suis incapable d'écrire une page sans demander un renseignement à quelqu'un, je suis très reconnaissante envers ceux qui partagent leur savoir avec moi. Ils rendent la recherche amusante, et l'écriture moins solitaire.

Debbie Lauderdale et ses élèves de la classe de septième de l'école primaire de Forest Trail ont imaginé ce que feraient des gosses enfermés dans un car pendant cinquante jours. Fred Askew et Glen Alyn ont parlé de leur expérience au Viêt-nam. Joshua « J.M. » Logan m'a expliqué la technique des moulages du corps. Becky Levy m'a conseillée pour l'art. Les docteurs John Hellerstedt et Norman Chenven, ainsi que Susan Wade, m'ont renseignée sur l'asthme chez les enfants.

Les agents spéciaux Nancy Houston et James Echols m'ont raconté des aventures du FBI. Gerald Adams m'en a raconté aussi, et eut des suggestions merveilleuses à propos d'un agent fédéral féminin. Ann Hutchison et le sergent Jack Kelley, de la police d'Austin, m'ont donné des informations sur la façon de négocier avec les preneurs d'otages. Janice Brown, des Services de protection de l'enfance du Texas, et Chris Douglas, du Service des adoptions, m'ont appris quelles étaient les procédures en vue d'une adoption.

Ralph Willis m'a offert sur de nombreux sujets l'expérience qu'il a accumulée pendant quatre-vingt-six ans. Tim Wendel m'a fourni des informations pratiques sur le monde, et T.J. m'a rappelé comment sont les gosses de septième. Mon cours de « musculation » au Hills m'a beaucoup aidée. Susie Devening et Rebecca Bingham ont exhumé d'un lointain passé la comptine sur les vers de terre. Amanda Walker m'a commenté brillamment Emily Dickinson.

Les *Trashy Paperback Writers* — Fred Askew, Jodi Berls, Dinah Chenven et Susan Wade — m'ont accompagnée pendant tout le processus chaotique de ce livre.

Et Kate Miciak a cru en moi et m'a publiée avec enthousiasme et un sens aigu du détail.

Merci à tous.

Achevé d'imprimer en septembre 1997
pour le compte des Éditions Quebecor

Nº d'impression : 6691S-5